JN273247

最新版

完全予想

仏検 3級

著者
富田正二

新傾向問題完全対応

聞き取り問題編

駿河台出版社

本文イラスト　渡辺洋子

まえがき

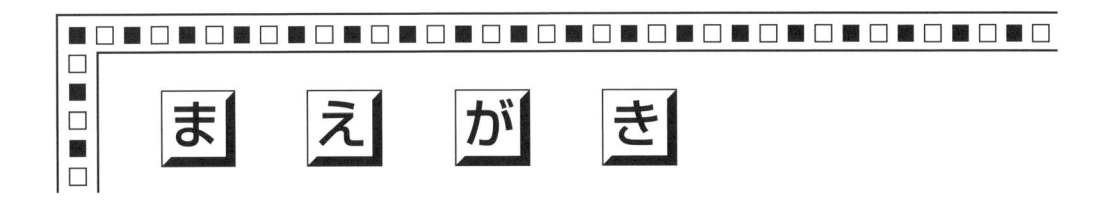

　仏検は正式名を実用フランス語技能検定試験（Diplôme d'Aptitude Pratique au Français）といって，実際に役だつフランス語をひろめようという考えかたから発足しました。第1回の実施は1981年といいますから，すでに20年以上の歴史を刻んできたことになります。

　フランス語教育法をみなおして，読解力の養成に偏っていたものから，コミュニケーション能力の養成へという方向転換はすでに定着しました。語学学習は「話す，書く，聞く，読む」ということばが本来もっている役割を，むりのない段階をへながら，総合的に身につけてゆかなければなりません。仏検はこうした発想を基盤としています。

　本書は，筆者がいくつかの大学で「仏検講座」を担当するにあたって，準備した資料をもとにして作られました。これまでに出題された過去の問題を分析して，出題傾向をわりだしました。この結果をもとにして章や項目をたてました。受験テクニックを教えるだけではなくて，練習問題を最後までおえたとき，自然に仏検各級の実力がついているようにしようというのが，この問題集のねらいです。

　「完全予想仏検3級」は，1996年に初版が出版され，2000年に筆記問題の部分をほぼ全面的に改訂しました。そして，このたび問題集のいっそうの充実をはかるために「聞き取り問題編」を改訂するにさいして，「筆記問題編」と分冊にすることになりました。「完全予想仏検3級」は幸いにしてご好評をいただきました。本書のよりよい姿に関してご教示くださいました方々にお礼を申しあげます。

　なお，過去の問題の使用を許可してくださった財団法人フランス語教育振興協会，フランス語の例文作成にあたって貴重な助言をいただいたエルベ・ドゥリエップ氏にあつくお礼を申しあげます。また，本書の出版を快諾していただいた駿河台出版社の井田洋二氏と，編集面で寛大にお世話いただいた同社編集部の上野名保子氏に心からの謝意を表します。

　　2004年早春　　　　　　　　　　　　　　　　　　　　　　　　　　　　　　　　著者

　本書を改訂してから8年の歳月が流れました。このたび仏検の新しい問題形式に対応するように，聞き取り問題の一部を改訂しました。CDには出題例をのぞくすべての練習問題が収録されています。今後とも本書がさらに充実した問題集になるよう努力してゆきたいと思います。これまでと変わらないご鞭撻をいただければ幸いです。

　　2012年早春　　　　　　　　　　　　　　　　　　　　　　　　　　　　　　　　著者

も く じ

まえがき …………………………………………………… i
本書の構成と使いかた ……………………………………… iii
実用フランス語技能検定試験について ……………………… iv

1．部分書き取り問題 ………………………………………… 3
2．短文聞き取り問題（絵を使った問題） ………………… 25
3．会話文聞き取り問題 ……………………………………… 41

第1回実用フランス語技能検定模擬試験 ………………… 57
第2回実用フランス語技能検定模擬試験 ………………… 73

別冊　解答編

本書の構成と使いかた

　仏検3級の聞き取り問題の出題傾向は，旧版を作成したころとくらべて，とくに「短文聞き取り（絵を使った問題）」において変化がみられます。本書はこうした新しい出題傾向にそうよう構成されています。

　各章は，そのまま実用フランス語技能検定試験問題の設問に対応しています。たとえば，「1. 部分書き取り」は仏検試験聞き取り問題の第1問として出題されます。各章のまえがきに，その章で学習する内容，および仏検における出題形式のアウトラインをしめしました。また，各章ごとに例題とその解答例が挿入されていますので，**EXERCICE** を解くにあたっての参考にしてください。最後のページに最近の出題形式をコピーした模擬試験問題（筆記問題をふくむ）が2部ついています。問題集がおわったら試してみてください。**EXERCICE** の解答は別冊になっています。なお，CD の使い方は **EXERCICE** ごとに指示してあります。どうせ勉強するのなら，フランス語の実力アップをめざそうではありませんか。

　Bon courage !

実用フランス語技能検定試験について

　財団法人フランス語教育振興協会による試験実施要項にもとづいて，仏検の概要を紹介しておきます。

7つの級の内容と程度

　つぎに紹介するのは，財団法人フランス語教育振興協会が定めているだいたいの目安です。だれでも，どの級でも受験することができます。試験範囲や程度について，もっと具体的な情報を知りたいという受験生には，過去に出題された問題を実際に解いてみるか，担当の先生に相談することをおすすめします。なお，併願は隣り合った2つの級まで出願することができます。ただし，1級と2級の併願はできません。なお，1級，準1級，2級，準2級の合格基準点は，各季ごとに変わります。

5級
程度	初歩的な日常的フランス語を理解し，読み，聞き，書くことができる。
標準学習時間	50時間以上（大学で週1回の授業なら1年間，週2回の授業なら半年間の学習に相当）。
試験内容	
読む	初歩的な単文の構成と文意の理解，短い初歩的な対話の理解。
聞く	初歩的な文の聞き分け，挨拶など日常的な応答表現の理解，数の聞き取り。
文法知識	初歩的な日常表現の単文を構成するのに必要な文法的知識。動詞としては，直説法現在，近接未来，近接過去，命令法の範囲。
語彙	550語
試験形式	一次試験のみ（100点）
筆記	問題数7問，配点60点。試験時間30分。マークシート方式。
聞き取り	問題数4問，配点40点。試験時間約15分。　マークシート方式，一部数字記入。
合格基準点	60点

4級
程度	基礎的な日常的フランス語を理解し，読み，聞き，書くことができる。
標準学習時間	100時間以上（大学で週1回の授業なら2年間，週2回の授業なら1年間の学習に相当。高校生も対象となる）。
試験内容	
読む	基礎的な単文の構成と文意の理解，基礎的な対話の理解。
聞く	基礎的な文の聞き分け，日常使われる基礎的応答表現の理解，数の聞き取り。
文法知識	基礎的な日常表現の単文を構成するのに必要な文法的知識。動詞としては，直説法（現在，近接未来，近接過去，複合過去，半過去，単純未来，代名動詞），

	命令法など。
語彙	920語
試験形式	一次試験のみ（100点）
筆記	問題数8問，配点66点。試験時間45分。マークシート方式。
聞き取り	問題数4問，配点34点。試験時間約15分。　マークシート方式，一部数字記入。
合格基準点	60点

3級

程度	フランス語の文構成についての基本的な学習を一通り終了し，簡単な日常表現を理解し，読み，聞き，話し，書くことができる。
標準学習時間	200時間以上（大学で，第一外国語としての授業なら1年間，第二外国語として週2回の授業なら2年間の学習に相当。一部高校生も対象となる）。
試験内容	
読む	日常的に使われる表現を理解し，簡単な文による長文の内容を理解できる。
書く	日常生活で使われる簡単な表現や，基本的語句を正しく書くことができる。
聞く	簡単な会話を聞いて内容を理解できる。
文法知識	基本的文法知識全般。動詞については，直説法，命令法，定型的な条件法現在と接続法現在の範囲内。
語彙	1,670語
試験形式	一次試験のみ（100点）
筆記	問題数9問，配点70点。試験時間60分。マークシート方式，一部語記入。
聞き取り	問題数3問，配点30点。試験時間約15分（部分書き取り1問・10点を含む）。マークシート方式，一部語記入。
合格基準点	60点

準2級

程度	日常生活における平易なフランス語を読み，書き，話すことができる。
標準学習時間	300時間以上（大学の3年終了程度）
試験内容	
読む	一般的な内容で，ある程度の長さの平易なフランス語の文章を理解できる。
書く	日常生活における平易な文や語句を正しく書ける。
聞く	日常的な平易な会話を理解できる。
話す	簡単な応答ができる。
文法知識	基本的文法事項全般についての十分な知識。
語彙	約2,300語
試験形式	

一次試験（100点）

筆記	問題数7問，配点70点。試験時間75分。マークシート方式，一部記述式（客観形式のほか，一部記述式を含む）。
書き取り	問題数1問，配点12点。試験時間（下記聞き取りと合わせて）約25分。

聞き取り	問題数2問，配点18点。語記入，記号選択。
合格基準点	62点（2011年秋季）

二次試験（30点）

個人面接試験	提示された文章を音読し，その文章とイラストについての簡単なフランス語の質問にフランス語で答える。試験時間約5分。
評価基準	日常生活レベルの簡単なコミュニケーション能力とフランス語力（発音・文法・語・句）を判定する。
合格基準点	18点（2011年秋季）

2級

程度	日常生活や社会生活を営む上で必要なフランス語を理解し，一般的なフランス語を聞き，話し，読み，書くことができる。
標準学習時間	400時間以上（大学のフランス語専門課程4年程度で，読む力ばかりでなく，聞き，話し，ある程度書く力も要求される。）

試験内容

読む	一般的な事がらについての文章を読み，その内容を理解できる。
書く	一般的な事がらについて，伝えたい内容を基本的なフランス語で書き表わすことができる。
聞く	一般的な事がらに関する文章を聞いて，その内容を理解できる。
話す	日常的生活のさまざまな話題について，基本的な会話ができる。
文法知識	前置詞や動詞の選択・活用などについて，やや高度な文法知識が要求される。
語彙	約3,000語

試験形式

一次試験（100点）

筆記	問題数7問，配点68点。試験時間90分。マークシート方式，一部記述式。
書き取り	問題数1問，配点14点。試験時間（下記聞き取りと合わせて）約35分。
聞き取り	問題数2問，配点18点。語記入，記号選択。
合格基準点	60点（2011年秋季）

二次試験（30点）

個人面接試験	日常生活に関する質問に対して，自分の伝えたいことを述べ，相手と対話を行なう。試験時間約5分。
評価基準	コミュニケーション能力（自己紹介，日常生活レベルの伝達能力）とフランス語力（発音・文法・語・句）を判定する。
合格基準点	18点（2011年秋季）

準1級

程度	日常生活や社会生活を営む上で必要なフランス語を理解し，一般的な内容はもとより，多様な分野についてのフランス語を聞き，話し，読み，書くことができる。
標準学習時間	500時間以上（大学のフランス語専門課程卒業の学力を備え，新聞・雑誌など

の解説・記事を読み，その大意を要約できるだけのフランス語運用能力と知識が要求される。）

試験内容

読む	一般的な内容の文章を十分に理解できるだけでなく，多様な分野の文章についてもその大意を理解できる。
書く	一般的な事がらについてはもちろんのこと，多様な分野についても，あたえられた日本語を正確なフランス語で書き表わすことができる。
聞く	一般的な事がらを十分に聞き取るだけでなく，多様な分野に関わる内容の文章の大意を理解できる。
話す	身近な問題や一般的な問題について，自分の意見を正確に述べ，相手ときちんとした議論ができる。
文法知識	文の書き換え，多義語の問題，前置詞，動詞の選択・活用などについて，かなり高度な文法知識が要求される。
語彙	約5,000語

試験形式

一次試験（120点）

筆記	問題数8問，配点80点。試験時間100分。記述式，一部記号選択。
書き取り	問題数1問，配点20点。試験時間（下記聞き取りと合わせて）約35分。
聞き取り	問題数2問，配点20点。語記入，記号選択。
合格基準点	71点（2011年秋季）

二次試験（40点）

個人面接試験	あたえられたテーマのなかから受験者が選んだものについての発表と討論。試験時間約7分。
評価基準	コミュニケーション能力（自分の意見を要領よく表現する能力）とフランス語力（発音・文法・語・句）を判定する。
合格基準点	21点（2011年秋季）

1級

程度	「聞く」「話す」「読む」「書く」という能力を高度にバランスよく身につけ，フランス語を実地に役立てる職業で即戦力となる。
標準学習時間	600時間以上

試験内容

読む	現代フランスにおける政治・経済・社会・文化の幅広い領域にわたり，新聞や雑誌の記事など，専門的かつ高度な内容の文章を，限られた時間の中で正確に読みとることができる。
書く	あたえられた日本語をフランス語としてふさわしい文に翻訳できる。その際，時事的な用語や固有名詞についての常識も前提となる。
聞く	ラジオやテレビのニュースの内容を正確に把握できる。広く社会生活に必要なフランス語を聞き取る高度な能力が要求される。
話す	現代社会のさまざまな問題について，自分の意思を論理的に述べ，相手と高度

　　　　　　　　　な議論が展開できる。
　　文法知識　　　文の書き換え，多義語の問題，前置詞，動詞の選択・活用などについて，きわ
　　　　　　　　　めて高度な文法知識が要求される。
　　語彙　　　　　制限なし
試験形式
一次試験（150点）
　　筆記　　　　　問題数9問，配点100点。試験時間120分。記述式，一部記号選択。
　　書き取り　　　問題数1問，配点20点。試験時間（下記聞き取りと合わせて）約40分。
　　聞き取り　　　問題数2問，配点30点。語記入，記号選択。
合格基準点　92点（2011年春季）
二次試験（50点）
　　個人面接試験　あたえられたテーマのなかから受験者が選んだものについての発表と討論。試
　　　　　　　　　験時間約9分。
　　評価基準　　コミュニケーション能力（自分の意見を要領よく表現する能力）とフランス語
　　　　　　　　　力（発音・文法・語・句）を判定する。
　　合格基準点　31点（2011年春季）

　　注意＊聞き取り試験には，フランス人が吹きこんだCDを使用します。
　　　＊3級・4級・5級には二次試験はありません。
　　　＊1級・準1級・2級・準2級の一次試験の合格基準点は，試験ごとに若干の変動があ
　　　　ります。二次試験は，一次試験の合格者だけを対象とします。なお，最終合格は一次
　　　　試験と二次試験の合計点ではなく，二次試験の結果だけで決まります。
　　　＊二次試験では，フランス語を母国語とする人ならびに日本人からなる試験委員がフラ
　　　　ンス語で個人面接をします。

試験日程
　春季と秋季の年2回（1級は春季，準1級は秋季だけ）実施されます。なお，願書の受付締
め切り日は，一次試験の約1ヶ月半まえです。
　　春季《一次試験》　6月　　　　1級，2級，準2級，3級，4級，5級
　　　　《二次試験》　7月　　　　1級，2級，準2級
　　秋季《一次試験》　11月　　　 準1級，2級，準2級，3級，4級，5級
　　　　《二次試験》　翌年1月　　準1級，2級，準2級

試験地
　受験地の選択は自由です。具体的な試験会場は，受付がすんでから受験生各人に連絡されま
す。二次試験があるのは1級，準1級，2級，準2級だけです。
　《一次試験》
　札幌，弘前，盛岡，仙台，秋田，福島，水戸（1・準1級は実施せず），宇都宮（1・準1級は実
施せず），群馬，草加，東京，横浜，新潟（1・準1級は実施せず），金沢，甲府，松本，岐阜，
静岡，三島，名古屋，京都，大阪，奈良，鳥取，松江，岡山，広島，高松（1・準1級は実施
せず），松山（1・準1級は実施せず），福岡，長崎，熊本（1・準1・2級は実施せず），別府（1級

は実施せず），宮崎（1・準1級は実施せず），鹿児島（1・準1・2級は実施せず），宜野湾（2級は実施せず），パリ（1・準1・2・3級のみ実施）

《二次試験》 ＊準2級のみ実施

札幌，盛岡，仙台，群馬（1・準1級は実施せず），東京，新潟＊，金沢，静岡（1・準1級は実施せず），名古屋，京都，大阪，松江＊，岡山＊，広島，高松（1・準1級は実施せず），福岡，長崎，熊本＊，宜野湾＊，パリ（1・準1・2級のみ実施）

　　　　注意　試験日程および会場は，年によって変更される可能性がありますので，詳しくは仏検事務局までお問い合わせください。

問い合わせ先／受付時間

　財団法人　フランス語教育振興協会　仏検事務局
　〒102-0073　東京都千代田区九段下1-8-1　九段101ビル
　TEL　03-3230-1603　　FAX　03-3239-3157
　E-mail：dapf@apefdapf.org　　HP：http://www.apefdapf.org
　　　月曜日〜金曜日（祝祭日をのぞく）10：00〜17：00

聞き取り問題

1 部分書き取り問題

　フランス語による対話文を聞いて，空欄に読まれた語，語句，数字を書きいれる問題です。駅や映画館の窓口，レストラン，ホテルのフロントなど，実際にフランスに滞在すればかならず経験する場面での対話がよく題材になります。

　部分書き取りの問題は，聞きとったフランス語を正確に書く能力が試されます。フランス語には複数のsや語末の子音字，動詞の活用語尾など発音しない綴り字がかなりあるので，正確なフランス語を書くのはとてもやっかいです。また，リエゾンやアンシェヌマンの発音規則も習得しておかなければなりません。それと，前後関係から正しい綴り字をわりだすには文法の知識も必要になります。書き取り問題では，総合的なフランス語の力が試されることになります。

出題例（2011年秋季）

1 次は、フランソワと母親の会話です。
- 1回目は全体を通して読みます。
- 2回目は、ポーズをおいて読みますから、（ 1 ）～（ 5 ）の部分を解答欄に書き取ってください。それぞれの（ ）内に入るのは1語とはかぎりません。
- 最後（3回目）に、もう1回全体を通して読みます。
- 読み終えてから60秒、見なおす時間があります。
- 数を記入する場合は、算用数字で書いてください。
（メモは自由にとってかまいません）（配点　10）

François : Maman, c'est demain, mon anniversaire.
La mère : Oui. Je vais faire un repas （　1　）.
François : Des （　2　） aussi ?
La mère : Bien sûr. Tu （　3　） combien de （　4　） ?
François : Neuf : cinq garçons et quatre filles.
La mère : Alors, ce （　5　） une bonne journée.

例題

次は，駅の窓口に切符を買いにきた女性客と駅員の会話です。
- １回目は全体をとおして読みます。
- ２回目は，ポーズをおいて読みますから，（ １ ）〜（ ５ ）の部分を解答欄に書きとってください。それぞれの（ ）内に入るのは１語とはかぎりません。
- 最後（３回目）に，もう１度全体をとおして読みます。
- 読み終えてから60秒，見なおす時間があります。
- 数を記入する場合は，算用数字で書いてかまいません。

（メモは自由にとってかまいません）（配点　10）

〈CDを聞く順番〉 A-2 → A-3 → A-4 → A-5

La cliente : Bonjour, je voudrais un billet pour Paris. Je voudrais partir vers 17 heures.
L'employé : Alors, vous avez un TGV à 17 heures （ １ ）, avec une arrivée à Paris à 18 heures 50. Cela vous convient ?
La cliente : （ ２ ）.
L'employé : C'est pour aujourd'hui ?
La cliente : Non, c'est pour demain, 1er （ ３ ）.
L'employé : Vous voulez un aller-retour ?
La cliente : Non, un aller （ ４ ）.
L'employé : Première ou seconde ?
La cliente : Première, s'il vous plaît, non-fumeurs. C'est combien ?
L'employé : 64 euros... Voilà. Merci et （ ５ ）, madame.
La cliente : Merci, monsieur.

---

(1)	
(2)	
(3)	
(4)	
(5)	

1　部分書き取り問題

（CDで読まれるテキスト）

La cliente：Bonjour, je voudrais un billet pour Paris. Je voudrais partir vers 17 heures.
L'employé：Alors, vous avez un TGV à 17 heures (25)[(1)], avec une arrivée à Paris à 18 heures 50. Cela vous convient ?
La cliente：(Parfait)[(2)].
L'employé：C'est pour aujourd'hui ?
La cliente：Non, c'est pour demain, 1er (septembre)[(3)].
L'employé：Vous voulez un aller-retour ?
La cliente：Non, un aller (simple)[(4)].
L'employé：Première ou seconde ?
La cliente：Première, s'il vous plaît, non-fumeurs. C'est combien ?
L'employé：64 euros... Voilà. Merci et (bon voyage)[(5)], madame.
La cliente：Merci, monsieur.

全文訳

女性客：こんにちは，パリ行きの切符を1枚欲しいのですが。17時ごろ出発したいのですが。
従業員：それでは，17時25分のTGVがあります。パリ着は18時50分です。それでいいですか？
女性客：結構です。
従業員：きょうのためのものですか？
女性客：いいえ，あす，9月1日のためのものです。
従業員：往復切符をお望みですか？
女性客：いいえ，片道切符です。
従業員：1等ですか？ それとも2等ですか？
女性客：1等をお願いします，禁煙車です。おいくらですか？
従業員：64ユーロです。どうぞ。ありがとうございます，楽しいご旅行を。
女性客：ありがとう。

・**解答**・　(1) 25 / vingt-cinq　(2) Parfait　(3) septembre　(5) simple
　　　　　(5) bon voyage

駅の切符売り場での会話です。
(1) 数字は算用数字で書いてかまいません。フランス語で書くときは，vingt-cinqとトレ・デュニオンを忘れないようにしてください。時間は正確に綴れるようにしておきましょう（minuit 午前0時，et quart 15分，et demie 30分，moins le quart 15分まえ）。
(2) 語末のtは発音しません。perfect, parfais, perfait などと綴らないようにしましょう。parfait は「完璧な」という意味の形容詞です。parfait au chocolat チョコレートパフェ。
(3) 月，曜日，季節を表わす単語は全部綴れるようにしておきましょう。
(4) sample, semple などと綴らないようにしましょう。
(5) voyage は男性名詞なので，bonne voyage とはなりません。voyage は正確に発音できますか？

EXERCICE 1

次は，駅の窓口でかわされた，ある男性と駅員との会話です。CDを聞いて，（ 1 ）〜
（ 5 ）の部分を解答欄に書きとってください。それぞれの（　）内に入るのは1語とは
かぎりません。数を記入する場合は，算用数字で書いてかまいません。

〈CDを聞く順番〉 A-6 → A-7 → A-8 → A-7

＊部分書き取り問題は例題でしめしたのと同じ手順で読まれます。**EXERCICE** では手順の説明を
省略します。

Le monsieur : Bonjour.
L'employée : Bonjour, monsieur.
Le monsieur : Je voudrais une réservation Paris-Nice, pour le （ 1 ） 20 juin, le train de （ 2 ） heures.
L'employée : C'est à quel nom ?
Le monsieur : Macé, Gérard Macé.
L'employée : Vous voulez une place « Fumeurs » ou « Non-fumeurs » ?
Le monsieur : Une place « Fumeurs ».
L'employée : Il y a un （ 3 ） ?
Le monsieur : Je ne sais pas encore quand je （ 4 ）.
L'employée : Alors voici votre réservation : voiture 8, place 15.　Vous prenez votre billet （ 5 ） ?
Le monsieur : Oui, oui...

(1)	
(2)	
(3)	
(4)	
(5)	

EXERCICE 2

次は，ロジェと病院の秘書との会話です．CD を聞いて，(1)〜(5)の部分を解答欄に書きとってください．それぞれの( )内に入るのは 1 語とはかぎりません．数を記入する場合は，算用数字で書いてかまいません．

〈CD を聞く順番〉 A-9 → A-10 → A-11 → A-10

Roger : Bonjour, mademoiselle, je voudrais prendre rendez-vous avec le docteur Dupuis.
La secrétaire : Oui. Pour (1) ?
Roger : Cet après-midi, si c'est possible. J'ai une rage de dents.
La secrétaire : Je regrette, mais ce n'est pas possible cet après-midi.
Roger : Ah ! Mais c'est vraiment (2). J'ai très mal.
La secrétaire : Bon, je vais (3) de vous placer entre deux rendez-vous. Ce que je vous propose, c'est de venir à 2 heures mais vous risquez d'attendre.
Roger : Ça ne fait rien. Je (4) là à 2 heures.
La secrétaire : Vous êtes monsieur... ?
Roger : Monsieur Leblanc, Roger Leblanc. Merci beaucoup.
La secrétaire : Je vous en prie. À (5), monsieur Leblanc.

(1)	
(2)	
(3)	
(4)	
(5)	

EXERCICE 3

次は，自動車教習所でのジュリーと係員との会話です。CDを聞いて，(1)～(5)の部分を解答欄に書きとってください。それぞれの（　）内に入るのは1語とはかぎりません。数を記入する場合は，算用数字で書いてかまいません。

〈CDを聞く順番〉 A-12 → A-13 → A-14 → A-13

Julie : Bonjour, monsieur. Je viens pour des cours de conduite.
L'employé : Ah, très bien. Vous avez déjà conduit ?
Julie : Non, (1).
L'employé : Alors... Nous avons des cours de 9 heures à 19 heures tous les jours, du (2) au vendredi.
Julie : Je (3) l'après-midi.
L'employé : À quelle heure, à 14 heures ?
Julie : Ah non ! À 14 heures je fais mes courses ; après, je fais le (4), je prépare le repas et, à (5) heures, mon fils arrive de l'école.
L'employé : Alors... à 13 heures ?
Julie : Oui... à 13 heures... Écoutez... Je ne sais pas... je vais voir.

(1)	
(2)	
(3)	
(4)	
(5)	

1 部分書き取り問題

例題

次は，パン屋の従業員と男性客の会話です。
- 1回目は全体をとおして読みます。
- 2回目は，ポーズをおいて読みますから，（ 1 ）～（ 5 ）の部分を解答欄に書きとってください。それぞれの（　）内に入るのは1語とはかぎりません。
- 最後（3回目）に，もう1度全体をとおして読みます。
- 読み終えてから60秒，見なおす時間があります。
- 数を記入する場合は，算用数字で書いてかまいません。

（メモは自由にとってかまいません）（配点　10）

〈CDを聞く順番〉 A-15 → A-16 → A-17 → A-18

L'employée：Bonjour monsieur, (1) ?
 Le client：Bonjour, madame, je voudrais un croissant au (2) et deux pains au chocolat, s'il vous plaît.
L'employée：Oui, monsieur, et avec ça ?
 Le client：Vous n'avez pas de tartes ?
L'employée：Si.
 Le client：Je vais (3) aussi une tarte pour deux personnes.
L'employée：Des tartes à (4) ? Nous avons des tartes aux pommes, aux fraises, au citron...
 Le cliente：Ce (5) une tarte aux fraises.
L'employée：Très bien, monsieur.

---

(1)	
(2)	
(3)	
(4)	
(5)	

（CD で読まれるテキスト）

L'employée : Bonjour monsieur, (vous désirez)[1] ?
Le client : Bonjour, madame, je voudrais un croissant au (beurre)[2] et deux pains au chocolat, s'il vous plaît.
L'employée : Oui, monsieur, et avec ça ?
Le client : Vous n'avez pas de tartes ?
L'employée : Si.
Le client : Je vais (prendre)[3] aussi une tarte pour deux personnes.
L'employée : Des tartes à (quoi)[4] ? Nous avons des tartes aux pommes, aux fraises, au citron...
Le cliente : Ce (sera)[5] une tarte aux fraises.
L'employée : Très bien, monsieur.

全文訳
従業員：こんにちは，何にいたしましょうか？
男性客：こんにちは，バタークロワッサン１個とチョコレートパン２個を欲しいのですが。
従業員：わかりました，ほかには？
男性客：タルトはありませんか？
従業員：あります。
男性客：２人用のタルトもいただきます。
従業員：どんなタルトにいたしましょうか？　リンゴタルト，イチゴタルト，レモンタルトなどがございます。
男性客：イチゴタルトにします。
従業員：承知しました。

・解答・　(1)　vous désirez　(2)　beurre　(3)　prendre　(4)　quoi　(5)　sera

パン屋での買いものの場面の会話です。
(1)　vous désirez は，店の人がお客さんに最初に話しかける決まり文句です。désirez のアクサン・テギュを忘れないようにしましょう。
(2)　食べものを表わす，たとえば fromage, jambon, viande, poisson などの単語は正確に書けるようにしておきましょう。
(3)　prendre には「選んでとる」という意味があります。ここでは「食べる，飲む」の意味ではありません。
(4)　会話独特の言いかたです。たとえば tarte aux pommes の à+（リンゴ，イチゴ，レモンなど）を疑問代名詞にしてたずねているわけです。
(5)　sera は être 動詞の直説法単純未来形です。

EXERCICE 4

次は，マリーとレストランのウェイターの会話です。CD を聞いて，(1)～(5)の部分を解答欄に書きとってください。それぞれの ( ) 内に入るのは 1 語とはかぎりません。数を記入する場合は，算用数字で書いてかまいません。

〈CD を聞く順番〉 A-19 → A-20 → A-21 → A-20

Le serveur : Vous (1) ?

Marie : J'étudie encore la (2).

Le serveur : Comme entrée ?

Marie : J'hésite entre le foie gras et la terrine du pêcheur. Qu'est-ce que vous me recommandez ?

Le serveur : La terrine du pêcheur. C'est notre spécialité. Voulez-vous l'essayer ?

Marie : Oui, je veux bien.

Le serveur : Et comme (3) ?

Marie : Je voudrais un verre de vin.

Le serveur : Je vous propose de prendre un vin (4), Sancerre rouge. Ça va avec tout : avec le (5) et avec la viande.

Marie : J'en prends un verre.

(1)	
(2)	
(3)	
(4)	
(5)	

EXERCICE 5

次は，ジョルジュとデパートの店員の会話です。CDを聞いて，（ 1 ）〜（ 5 ）の部分を解答欄に書きとってください。それぞれの（ ）内に入るのは1語とはかぎりません。数を記入する場合は，算用数字で書いてかまいません。

〈CDを聞く順番〉 A-22 → A-23 → A-24 → A-23

La vendeuse : Monsieur. Vous désirez ?
Geroges : Je (1) un sac.
La vendeuse : J'ai différents modèles à différents (2). Par exemple, j'ai celui-ci, très pratique pour voyager, ou celui-là, très léger et un peu (3).
Geroges : Je vais prendre un modèle léger.
La vendeuse : Est-ce que vous avez une couleur (4) ?
Geroges : Non, pas spécialement, mais j'aime beaucoup cette couleur.
La vendeuse : Marron ? C'est une belle couleur, et (5) avec tout. Je vous donne celui-ci ?
Geroges : Oui, très bien.

(1)	
(2)	
(3)	
(4)	
(5)	

EXERCICE 6

次は，買いものをしているモニックとアンリの会話です。CDを聞いて，（ 1 ）～（ 5 ）の部分を解答欄に書きとってください。それぞれの（ ）内に入るのは1語とはかぎりません。数を記入する場合は，算用数字で書いてかまいません。

〈CDを聞く順番〉 A-25 → A-26 → A-27 → A-26

Monique : Oh ! Elle est bien cette robe pour un mariage.
   Henri : Moi, j'aime （ 1 ） celle-ci, je la trouve très bien pour toi.
Monique : （ 2 ） ? La rose ? Moi, je ne l'aime pas du tout.
   Henri : Et la bleue ?
Monique : Elle n'est pas mal. Mais elle est comme celle de ma sœur Sylvie.
   Henri : Oui, Sylvie est très blonde, le bleu lui （ 3 ）.
Monique : Je suis （ 4 ） blonde qu'elle, écoute !
   Henri : Oui, mais Sylvie a les yeux bleus, elle.
Monique : （ 5 ） celle-ci : elle est ravissante.
   Henri : Oui, mais elle est plus chère que la bleue : 300 euros pour une robe, c'est trop cher.

(1)	
(2)	
(3)	
(4)	
(5)	

---- 例題 ----

次は，ポーリーヌと通りがかりの人の会話です。
- 1回目は全体をとおして読みます。
- 2回目は，ポーズをおいて読みますから，（ 1 ）～（ 5 ）の部分を解答欄に書きとってください。それぞれの（　）内に入るのは1語とはかぎりません。
- 最後（3回目）に，もう1度全体をとおして読みます。
- 読み終えてから60秒，見なおす時間があります。
- 数を記入する場合は，算用数字で書いてかまいません。

（メモは自由にとってかまいません）（配点　10）

〈CDを聞く順番〉 A-28 → A-29 → A-30 → A-31

Pauline : Pardon, monsieur, je suis （ 1 ）, je cherche le château de Sully. C'est loin d'ici ?

Le passant : Non, c'est （ 2 ）. Vous prenez cette route, là, devant vous, vous faites deux ou trois kilomètres et vous allez arriver à un petit village qui s'appelle Bayeux.

Pauline : Ah oui, je vois sur la carte !

Le passant : Vous passez devant la （ 3 ） et vous prenez la première rue à droite. Vous （ 4 ） quelques kilomètres et vous allez voir un panneau « Château de Sully ».

Pauline : Ce sera à droite ou à gauche ?

Le passant : À gauche. Vous devez （ 5 ） à gauche. C'est un petit chemin.

Pauline : Merci beaucoup, monsieur !

(1)	
(2)	
(3)	
(4)	
(5)	

1　部分書き取り問題

（CDで読まれるテキスト）

Pauline：Pardon, monsieur, je suis (perdue)[(1)], je cherche le château de Sully. C'est loin d'ici ?

Le passant：Non, c'est (tout près)[(2)]. Vous prenez cette route, là, devant vous, vous faites deux ou trois kilomètres et vous allez arriver à un petit village qui s'appelle Bayeux.

Pauline：Ah oui, je vois sur la carte !

Le passant：Vous passez devant la (mairie)[(3)] et vous prenez la première rue à droite. Vous (continuez)[(4)] quelques kilomètres et vous allez voir un panneau « Château de Sully ».

Pauline：Ce sera à droite ou à gauche ?

Le passant：À gauche. Vous devez (tourner)[(5)] à gauche. C'est un petit chemin.

Pauline：Merci beaucoup, monsieur !

全文訳

ポーリーヌ：すいません，道に迷いました，シュリ城を探しています。ここから遠いですか？

通りがかりの人：いいえ，すぐ近くです。この道をこのまま2,3キロ行ってください。まもなくバイユーという小さな村に着きます。

ポーリーヌ：はい，地図に載っています！

通りがかりの人：市役所のまえを通って，最初の通りを右へ行ってください。数キロ行けば，《シュリ城》の看板が目に入ります。

ポーリーヌ：それから右へ行くのですか？それとも左ですか？

通りがかりの人：左です。左へ曲がらなければなりません。細い道です。

ポーリーヌ：ありがとうございます。

・解答・　(1) perdue　(2) tout près　(3) mairie　(4) continuez　(5) tourner

　　城へ行こうとして道がわからなくなった女性と通りがかりの人の会話です。車に乗っている女性は地図を片手に目的地までの道順をたずねています。

(1)　perdue は形容詞ですから性・数の一致があります。話者は女性です。

(2)　tout は語末の t を発音しません。pres, prés のようにアクサンのまちがいに注意しましょう。

(3)　店や公共の建造物，たとえば restaurant, boulangerie, église, aéroport などの単語は正確に書けるようにしておきましょう。

(4)　continuer はここでは「このまま行き続ける」という意味です。もちろん，-er 型規則動詞です。

(5)　devoir「～しなければならない」のあとですから，動詞は不定詞にしなければなりません。tourner は道案内の会話では基本動詞です。序数詞（premier, deuxième, troisième...）も正確に綴れるようにしておきましょう。

EXERCICE 7

次は，クレールが外国人に道をたずねられたときの会話です。CDを聞いて，(1)～(5)の部分を解答欄に書きとってください。それぞれの（   ）内に入るのは1語とはかぎりません。数を記入する場合は，算用数字で書いてかまいません。

〈CDを聞く順番〉 A-32 → A-33 → A-34 → A-33

L'étranger : Pardon, mademoiselle, je dois aller au Panthéon, mais je ne sais pas bien où c'est. Qu'est-ce qu'il faut faire pour aller là-bas ?
Claire : (1) le métro, c'est rapide.
L'étranger : Je suis ici (2) trois jours seulement et je ne connais pas assez Paris pour aller où je veux. Comment faut-il faire ?
Claire : Vous montez par là, vous tournerez à droite au (3) carrefour et puis vous continuerez (4). Là, vous trouverez le métro.
L'étranger : Il faut combien de temps ?
Claire : (5) minutes seulement.
L'étranger : Merci bien.

(1)	
(2)	
(3)	
(4)	
(5)	

EXERCICE 8

次は，ダヴィドとカロリーヌの会話です。CDを聞いて，（ 1 ）〜（ 5 ）の部分を解答欄に書きとってください。それぞれの（ ）内に入るのは1語とはかぎりません。数を記入する場合は，算用数字で書いてかまいません。

〈CDを聞く順番〉 A-35 → A-36 → A-37 → A-36

David : Quelle heure est-il ?
Caroline : Il est 9 heures. Je crois que tu as encore le temps : ton avion est à (1) heures.
David : Oui, mais je dois être à l'aéroport deux heures avant le (2).
Caroline : Tu y vas (3) ?
David : Oh non ! Je vais prendre un taxi.
Caroline : Ça m'étonnerait que tu arrives à l'heure avec un taxi.
David : Je ne crois pas qu'il y ait des embouteillages un (4).
Caroline : Si tu pars (5), je pense que ça ira.

(1)	
(2)	
(3)	
(4)	
(5)	

--- **例題** ---

次は，ジムとマルティーヌの会話です。
- 1回目は全体をとおして読みます。
- 2回目は，ポーズをおいて読みますから，(1)〜(5)の部分を解答欄に書きとってください。それぞれの（　）内に入るのは1語とはかぎりません。
- 最後（3回目）に，もう1度全体をとおして読みます。
- 読み終えてから60秒，見なおす時間があります。
- 数を記入する場合は，算用数字で書いてかまいません。

（メモは自由にとってかまいません）（配点　10）

〈CDを聞く順番〉 A-38 → A-39 → A-40 → A-41

Jim : Allô, Martine ? Bonjour, c'est Jim.
Martine : Jim ? Quelle (1) ! Quand est-ce que tu es arrivé à Paris ?
Jim : (2) dernier, et je fais une petite soirée, samedi. Ça te dirait de venir ?
Martine : Oui, (3), c'est très gentil !
Jim : Est-ce que tu penses que Julie (4) aussi venir ?
Martine : Oui, bonne idée, je vais lui proposer de venir.
Jim : D'accord. À samedi.
Martine : Ah, est-ce que je peux apporter (5) ?
Jim : Non merci, ce sera très simple.

(1)	
(2)	
(3)	
(4)	
(5)	

1 部分書き取り問題

（CD で読まれるテキスト）
Jim：Allô, Martine ? Bonjour, c'est Jim.
Martine：Jim ? Quelle (surprise)⁽¹⁾ ! Quand est-ce que tu es arrivé à Paris ?
Jim：(Mardi)⁽²⁾ dernier, et je fais une petite soirée, samedi. Ça te dirait de venir ?
Martine：Oui, (avec plaisir)⁽³⁾, c'est très gentil !
Jim：Est-ce que tu penses que Julie (aimerait)⁽⁴⁾ aussi venir ?
Martine：Oui, bonne idée, je vais lui proposer de venir.
Jim：D'accord. À samedi.
Martine：Ah, est-ce que je peux apporter (quelque chose)⁽⁵⁾ ?
Jim：Non merci, ce sera très simple.

全文訳
ジム：もしもし，マルティーヌ？こんにちは，ジムです。
マルティーヌ：ジム？びっくりしたわ。いつパリに着いたの？
ジム：このまえの火曜日だよ，で，土曜日にちょっとしたパーティーをやるんだ。来ない？
マルティーヌ：ええ，喜んで，ありがとう。
ジム：ジュリーも来たがると思う？
マルティーヌ：ええ，いい考えだわ，来るように言ってみるわ。
ジム：オーケー。じゃあ土曜日に。
マルティーヌ：あっ，なにか用意して行こうか？
ジム：いや，けっこう，とても気楽なものにするから。

・解答・　(1) surprise　(2) Mardi　(3) avec plaisir　(4) aimerait　(5) quelque chose

パリへ帰ってきたジムがマルティーヌに電話して，パーティーに誘っています。
(1) 3級レベルでは，むずかしい単語かもしれません。「驚き」を意味する名詞です。動詞は，surprendre「驚かす」です。
(2) 月，曜日，季節を表わす単語は正確な綴りを覚えておきましょう。
(3) 相手に誘われて，合意する意思を示したいとき，avec plaisir, volontiers, c'est une bonne idée などと答えます。
(4) aimerait は aimer の条件法現在形です。
(5) quelque chose「なにか」は不定代名詞です。quelqu'un「だれか」，ne...rien「なにも...ない」，ne...personne「だれも...ない」も覚えておきましょう。

EXERCICE 9

次は，アンドレとコリーヌの会話です。CD を聞いて，（ 1 ）〜（ 5 ）の部分を解答欄に書きとってください。それぞれの（ ）内に入るのは 1 語とはかぎりません。数を記入する場合は，算用数字で書いてかまいません。

〈CD を聞く順番〉 A-42 → A-43 → A-44 → A-43

André : Allô ? Je（ 1 ）parler à mademoiselle Legrand, Corinne Legrand, s'il vous plaît.
Corinne : C'est moi.
André : Salut, Corinne. Tu me reconnais ?
Corinne : André ! C'est une surprise ! Où es-tu ? Tu ne téléphones pas des （ 2 ）quand même ?
André : Non. Je suis à Paris, chez mon copain Jean.
Corinne : Tu es là pour（ 3 ）?
André : Une semaine. Dis, on peut manger（ 4 ）ce soir ?
Corinne : Pourquoi pas ? À quelle heure ?
André : À sept heures. Ça va ?
Corinne : Très bien. Tu connais un（ 5 ）?

(1)	
(2)	
(3)	
(4)	
(5)	

EXERCICE 10

次は，アリスとフランソワの会話です。CD を聞いて，(1)～(5)の部分を解答欄に書きとってください。それぞれの(　)内に入るのは1語とはかぎりません。数を記入する場合は，算用数字で書いてかまいません。

〈CD を聞く順番〉 A-45 → A-46 → A-47 → A-46

Alice : Allô, François ?
François : Oui, c'est moi. Qui est à l'appareil ?
Alice : C'est Alice. Tu ne reconnais pas ma voix ?
François : Si, maintenant. Qu'est-ce qui (1) ?
Alice : Je ne vais pas pouvoir (2) à notre réunion demain.
François : C'est ennuyeux. Pourquoi ?
Alice : Ma mère veut aller (3) avec moi et je ne peux pas lui dire non.
François : Eh bien (4) ! On se voit quand, alors ?
Alice : La (5).

(1)	
(2)	
(3)	
(4)	
(5)	

EXERCICE 11

次は，エレーヌと彼女のアルバイト先にやって来たロランの会話です。CDを聞いて，（ 1 ）〜（ 5 ）の部分を解答欄に書きとってください。それぞれの（　）内に入るのは1語とはかぎりません。数を記入する場合は，算用数字で書いてかまいません。

〈CDを聞く順番〉 A-48 → A-49 → A-50 → A-49

Laurent : Et ce nouveau job ? Qu'est-ce qu'on vend dans ton magasin ?
Hélène : Eh bien, tu vois, on vend (1) de matériel hi-fi... Moi, je vends des minichaînes.
Laurent : Tu es bien payée ?
Hélène : Non, on n'est pas très bien payé, mais on a des (2) sur l'équipement stéréo et sur les compacts.
Laurent : Qu'est-ce que tu (3) faire avec ton argent ?
Hélène : Je ne sais pas... J'ai envie de voyager (4).
Laurent : Tu as de la chance. Moi aussi, j'ai envie de voyager, mais je n'ai pas d'argent.
Hélène : Écoute, Laurent, si tu as besoin d'argent, fais (5).
Laurent : Comment ?
Hélène : Cherche un job !

(1)	
(2)	
(3)	
(4)	
(5)	

EXERCICE 12

次は，空港で出会ったロベールとアンヌの会話です。CD を聞いて，(1)～(5)の部分を解答欄に書きとってください。それぞれの (　) 内に入るのは 1 語とはかぎりません。数を記入する場合は，算用数字で書いてかまいません。

〈CD を聞く順番〉 A-51 → A-52 → A-53 → A-52

Robert：Tiens ! Salut, Anne.
Anne：Salut, Robert. Ça va ? Tu (1) ?
Robert：Oui, (2) non, je pars, c'est-à-dire, je viens du bureau et je vais à Nice.
Anne：(3)...
Robert：Pourquoi, où est-ce que tu vas ?
Anne：Je vais à Milan. Je visite une entreprise de prêt-à-porter italienne. Pour nous, les modèles italiens sont (4) intéressants.
Robert：Bon... eh bien, bon voyage !
Anne：La semaine prochaine, je suis à Paris. Toi aussi ?
Robert：Bien sûr. Eh bien, à la semaine prochaine, alors ! (5) au bureau !
Anne：D'accord.

(1)	
(2)	
(3)	
(4)	
(5)	

2 短文聞き取り問題

　フランス語による短文を聞いて，その内容に一致する絵を選択する問題です。おもに，さまざまな場面での常套句が題材となります。
　短文聞き取り問題では，絵でしめされている場面でふつうに交わされるフランス語やその場面を描写したフランス語を正確に聞きとることができるかどうかが試されます。まず提示された絵を見て，どういう場面なのか，どういう会話が想定されるのかを考えておくようにしましょう。

出題例（2011年秋季）

2
- フランス語の文(1)～(5)を，それぞれ3回ずつ聞いてください。
- それぞれの文に最もふさわしい絵を，下の①～⑨のなかから1つずつ選び，解答欄のその番号にマークしてください。ただし，同じものを複数回用いることはできません。
（メモは自由にとってかまいません）（配点　10）

(1)
(2)
(3)
(4)
(5)

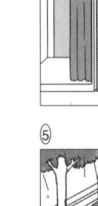

------- **例題**

- フランス語の文 (1)〜(5) を，それぞれ 3 回聞いてください。
- それぞれの文に最もふさわしい絵を，下の ①〜⑨ のなかから 1 つずつ選び，解答欄のその番号にマークしてください。ただし，同じものを複数回用いることはできません。

（メモは自由にとってかまいません）（配点 10）

　　＊仏検の解答欄はマークシート方式になっています。本書では紙幅の関係で巻末の「実用フランス語技能検定模擬試験」をのぞいてマークシートを使っていません。解答欄にその番号を記入してください。

〈CD を聞く順番〉 **A-54** → **A-55**

(1)
(2)
(3)
(4)
(5)

2　短文聞き取り問題

(1)	(2)	(3)	(4)	(5)

(CDで読まれるテキスト)
(1)　Ils attendent le train.
(2)　Ils descendent du train.
(3)　Ils montent dans un train.
(4)　Ils restent debout dans le train.
(5)　Ils sont assis dans le train.

全文訳
(1)　彼らは列車を待っている。
(2)　彼らは列車から降りる。
(3)　彼らは列車に乗り込む。
(4)　彼らは列車内で立っている。
(5)　彼らは列車内で座っている。

・解答・　(1)　③　(2)　⑨　(3)　①　(4)　④　(5)　⑦

　　　列車 train がキーワードになっている問題です。
(1)　男女2名がプラットホームで列車の到着を待っています。使われている動詞は attendre「待つ」です。
(2)　使われている動詞は descendre「降りる」です。
(3)　使われている動詞 monter は「登る」以外に「乗りものに乗る」という意味があります。
(4)　être debout「立っている」，rester debout「立ったままでいる」。
(5)　assis は asseoir「座らせる」の形容詞形で，「座っている」という意味です。

EXERCICE 1

・フランス語の文(1)～(5)を，それぞれ 3 回聞いてください。
・それぞれの文に最もふさわしい絵を，下の①～⑨のなかから 1 つずつ選び，解答欄のその番号にマークしてください。ただし，同じものを複数回用いることはできません。
（メモは自由にとってかまいません）（配点　10）

〈CD を聞く順番〉 A-56 → A-57

(1)
(2)
(3)
(4)
(5)

(1)	(2)	(3)	(4)	(5)

EXERCICE 2

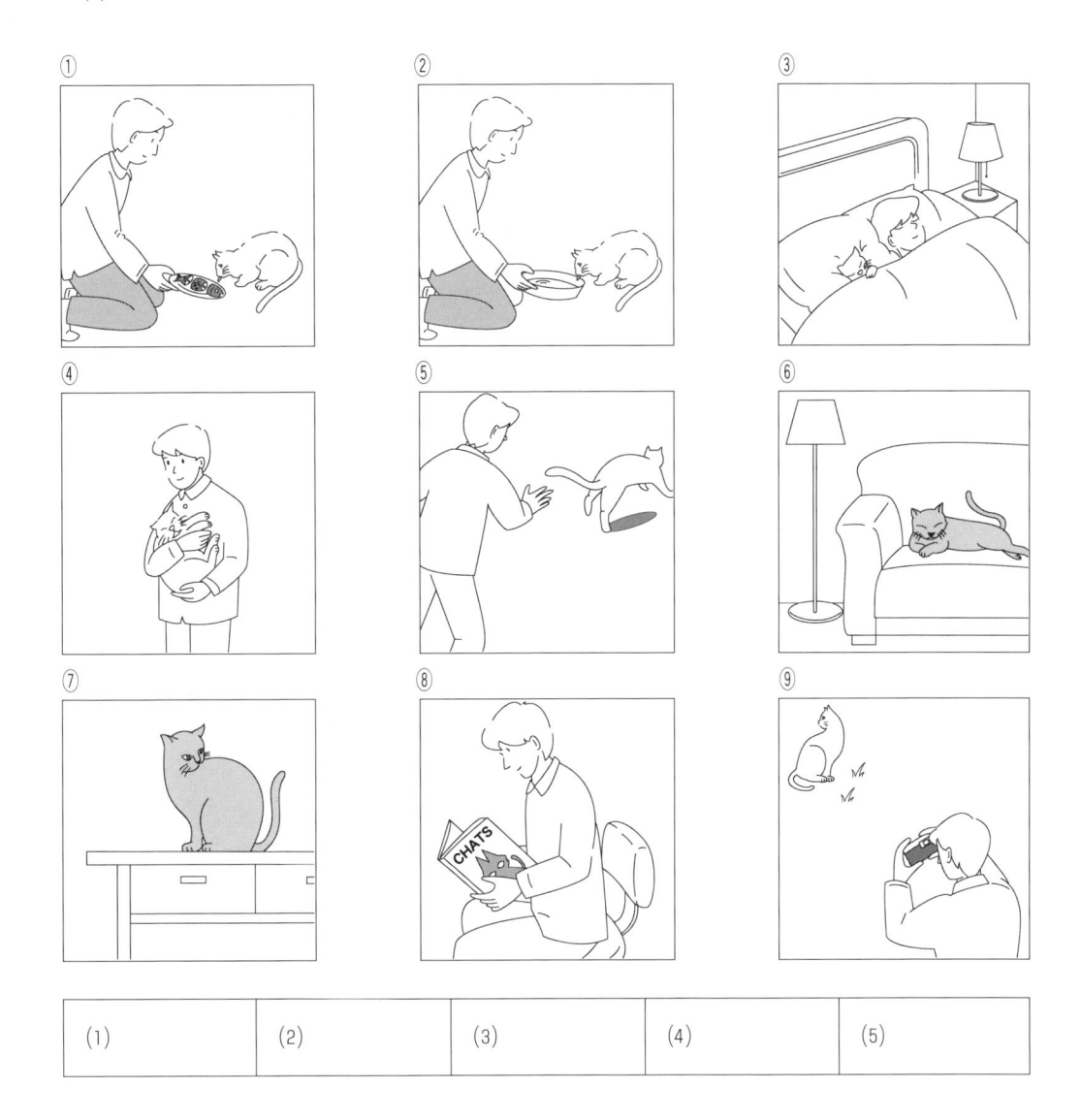

・フランス語の文(1)〜(5)を，それぞれ3回聞いてください。
・それぞれの文に最もふさわしい絵を，下の①〜⑨のなかから1つずつ選び，解答欄のその番号にマークしてください。ただし，同じものを複数回用いることはできません。
（メモは自由にとってかまいません）（配点　10）

〈CDを聞く順番〉 A-58 → A-59

(1)
(2)
(3)
(4)
(5)

(1)	(2)	(3)	(4)	(5)

EXERCICE 3

- フランス語の文(1)〜(5)を，それぞれ3回聞いてください。
- それぞれの文に最もふさわしい絵を，下の①〜⑨のなかから1つずつ選び，解答欄のその番号にマークしてください。ただし，同じものを複数回用いることはできません。

（メモは自由にとってかまいません）（配点 10）

〈CDを聞く順番〉 A-60 → A-61

(1)
(2)
(3)
(4)
(5)

(1)	(2)	(3)	(4)	(5)

EXERCICE 4

・フランス語の文(1)〜(5)を，それぞれ 3 回聞いてください。
・それぞれの文に最もふさわしい絵を，下の①〜⑨のなかから 1 つずつ選び，解答欄のその番号にマークしてください。ただし，同じものを複数回用いることはできません。
（メモは自由にとってかまいません）（配点　10）

〈CDを聞く順番〉　A-62 → A-63

(1)
(2)
(3)
(4)
(5)

(1)	(2)	(3)	(4)	(5)

EXERCICE 5

- フランス語の文(1)～(5)を，それぞれ3回聞いてください。
- それぞれの文に最もふさわしい絵を，下の①～⑨のなかから1つずつ選び，解答欄のその番号にマークしてください。ただし，同じものを複数回用いることはできません。

（メモは自由にとってかまいません）（配点 10）

〈CDを聞く順番〉 A-64 → A-65

(1)
(2)
(3)
(4)
(5)

(1)	(2)	(3)	(4)	(5)

32

EXERCICE 6

・フランス語の文(1)〜(5)を，それぞれ3回聞いてください。
・それぞれの文に最もふさわしい絵を，下の①〜⑨のなかから1つずつ選び，解答欄のその番号にマークしてください。ただし，同じものを複数回用いることはできません。
（メモは自由にとってかまいません）（配点 10）
〈CDを聞く順番〉 A-66 → A-67

(1)
(2)
(3)
(4)
(5)

(1)	(2)	(3)	(4)	(5)

------ **例題** ------

- フランス語の文(1)〜(5)を，それぞれ3回聞いてください。
- それぞれの文に最もふさわしい絵を，下の①〜⑨のなかから1つずつ選び，解答欄のその番号にマークしてください。ただし，同じものを複数回用いることはできません。

（メモは自由にとってかまいません）（配点　10）

〈CDを聞く順番〉 A-68 → A-69

(1)
(2)
(3)
(4)
(5)

34

2 短文聞き取り問題

(1)	(2)	(3)	(4)	(5)

(CDで読まれるテキスト)
(1) Elle laisse un journal sur la chaise.
(2) Elle lit une lettre dans le séjour.
(3) Elle lit un livre dans le métro.
(4) Elle met un journal dans son sac.
(5) Elle passe un livre à son mari.

全文訳
(1) 彼女は椅子のうえに新聞をおいて行く。
(2) 彼女はリビングルームで手紙を読んでいる。
(3) 彼女は地下鉄で本を読んでいる。
(4) 彼女は新聞をバッグに入れる。
(5) 彼女は夫に本を渡す。

・解答・ (1) ⑨ (2) ③ (3) ① (4) ⑥ (5) ④

新聞 journal，本 livre，手紙 lettre がキーワードになっている問題です。
(1) 使われている動詞は laisser「おいて行く，おき忘れる」です。
(2) 使われている動詞は lire「読む」です。読んでいるのは本ではなく手紙です。
(3) 使われている動詞は lire「読む」です。場所は図書館ではなく地下鉄です。
(4) mettre「おく」と laisser「おいて行く」の意味の違いに注意しましょう。
(5) 使われている動詞は passer「渡す」です。渡しているのは新聞ではなく本です。

EXERCICE 7

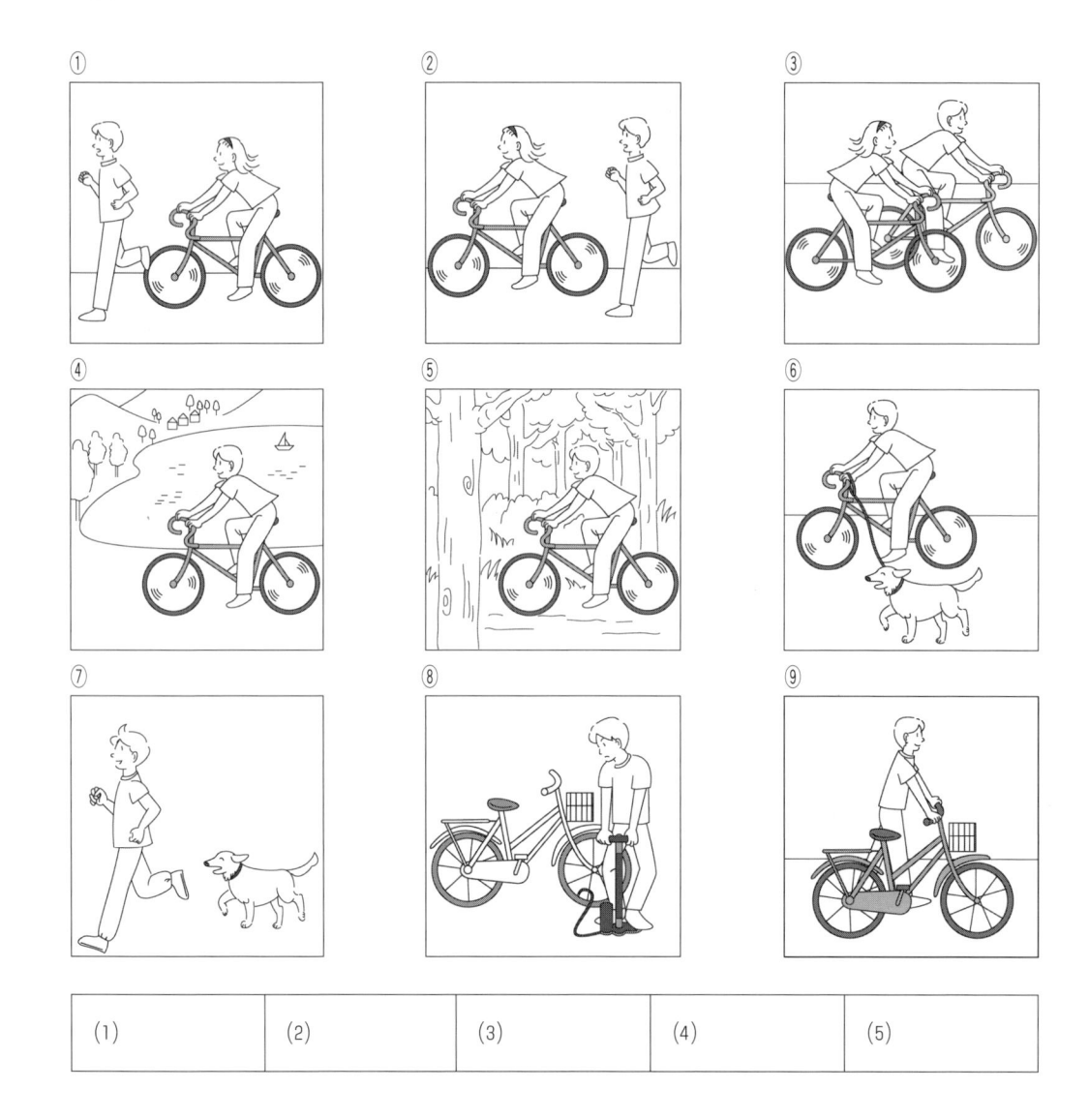

・フランス語の文(1)～(5)を，それぞれ3回聞いてください。
・それぞれの文に最もふさわしい絵を，下の①～⑨のなかから1つずつ選び，解答欄のその番号にマークしてください。ただし，同じものを複数回用いることはできません。
（メモは自由にとってかまいません）（配点　10）

〈CDを聞く順番〉 A-70 → A-71

(1)
(2)
(3)
(4)
(5)

(1)	(2)	(3)	(4)	(5)

36

EXERCICE 8

・フランス語の文(1)〜(5)を，それぞれ3回聞いてください。
・それぞれの文に最もふさわしい絵を，下の①〜⑨のなかから1つずつ選び，解答欄のその番号にマークしてください。ただし，同じものを複数回用いることはできません。
（メモは自由にとってかまいません）（配点　10）
〈CDを聞く順番〉 A-72 → A-73

(1)
(2)
(3)
(4)
(5)

(1)	(2)	(3)	(4)	(5)

EXERCICE 9

- フランス語の文(1)〜(5)を，それぞれ 3 回聞いてください。
- それぞれの文に最もふさわしい絵を，下の①〜⑨のなかから 1 つずつ選び，解答欄のその番号にマークしてください。ただし，同じものを複数回用いることはできません。

（メモは自由にとってかまいません）（配点　10）

〈CD を聞く順番〉 A-74 → A-75

(1)
(2)
(3)
(4)
(5)

(1)	(2)	(3)	(4)	(5)

EXERCICE 10

・フランス語の文(1)～(5)を，それぞれ3回聞いてください。
・それぞれの文に最もふさわしい絵を，下の①～⑨のなかから1つずつ選び，解答欄のその番号にマークしてください。ただし，同じものを複数回用いることはできません。
（メモは自由にとってかまいません）（配点　10）
〈CDを聞く順番〉 A-76 → A-77

(1)
(2)
(3)
(4)
(5)

(1)	(2)	(3)	(4)	(5)

3
会話文聞き取り問題

　フランス語による対話文（ときに手紙文）を聞いて，設問にある日本語文が内容に一致するかどうかを決める問題です。「書き取り問題」と同じように，レストラン，デパート，ホテルのフロントなどと場面が設定されている題材もあれば，友だち同士の会話，インタビューも題材になります。

　応答文聞き取り問題は，まさにフランス語文の内容を正確に聞きとることができるかどうかが試されます。まず設問に提示された日本語文をよく読んで，なにを聞きとればよいのかを考えておきます。とくに，数字に関係する表現（料金，期間，日付など）には注意が必要です。

出題例（2011年秋季）

3
- ニコラとアンヌの会話を3回聞いてください。
- 次の (1) ～ (5) について、会話の内容に一致する場合は解答欄の①に、一致しない場合は②にマークしてください。
  （メモは自由にとってかまいません）（配点　10）

(1) アンヌは子供のころ毎週日曜日に教会で歌っていた。

(2) アンヌは今も教会で歌っている。

(3) 今度の日曜日にニコラは高齢者のためにコンサートをする。

(4) アンヌはニコラのコンサートに参加できない。

(5) アンヌはニコラがギターを弾くことを知らなかった。

例題

- フランソワと店員の会話を3回聞いてください。
- 次の(1)〜(5)について，会話の内容に一致する場合は解答欄の①に，一致しない場合は②にマークしてください。

（メモは自由にとってかまいません）（配点　10）

　　＊仏検の解答欄はマークシート方式になっています。本書では紙幅の関係で巻末の「実用フランス語技能検定模擬試験をのぞいてマークシートを使っていません。会話の内容に一致する場合は解答欄に①を，一致しない場合は②を記入してください。

〈CDを聞く順番〉 B-1 → B-2 → B-3 → B-4

(1) フランソワは恋人へプレゼントするためにスカーフを探している。
(2) フランソワは30ユーロより高価な品物を希望している。
(3) フランソワは店員から30ユーロと40ユーロのスカーフを見せてもらった。
(4) フランソワはほかのスカーフを見てみようとした。
(5) フランソワの予算内では，青いスカーフは見せてもらったものだけしかない。

note

(1)	(2)	(3)	(4)	(5)

3 会話文聞き取り問題

(CD で読まれるテキスト)

François : Bonjour, je cherche une écharpe bleue. C'est pour offrir à ma femme.
La vendeuse : Vous voulez mettre dans les combien ?
François : À vrai dire, je ne sais pas. Pas plus de 30 euros, je pense.
La vendeuse : Voici deux jolies écharpes.
François : Je préfère celle-ci à celle-là. Elle fait combien ?
La vendeuse : 40 euros.
François : C'est dommage, c'est trop cher. Et l'autre écharpe est à combien ?
La vendeuse : 25 euros.
François : Elle n'est pas mal. Est-ce que vous auriez d'autres écharpes dans ces prix-là ?
La vendeuse : Oui, mais peut-être pas en bleu.

全文訳

フランソワ：こんにちは，青いスカーフを探しています。妻へのプレゼントです。
女性店員：いくらぐらいの範囲ですか？
フランソワ：じつを言うと，わかりません。30ユーロを超えないようにと思います。
女性店員：どうぞ，すてきなスカーフが2点あります。
フランソワ：あちらよりこちらのほうがいい。おいくらですか？
女性店員：40ユーロです。
フランソワ：残念ですが，高すぎます。もう一方のほうはおいくらですか？
女性店員：25ユーロです。
フランソワ：悪くない。この価格でほかのスカーフはありますか？
女性店員：はい，でもたぶん青いのはないでしょう。

・**解答**・ (1) ② (2) ② (3) ② (4) ① (5) ①

フランソワは奥さんへスカーフをプレゼントするつもりです。買いものの場面です。
(1) フランソワは恋人ではなく妻へのプレゼントと言っています。
(2) Pas plus de 30 euros ですから，30ユーロより高価であってはいけません。
(3) 店員は40ユーロと25ユーロとスカーフを見せてくれました。
(4) フランソワは25ユーロのスカーフを悪くないと思いましたが，同じ程度の価格で，ほかのスカーフも見てみたいと思いました。
(5) 店員は，同じ程度の価格でほかにもスカーフはあるけれど，青いものでという条件がつくと希望にはそえないと答えています。

EXERCICE 1

- クリスティーヌが部屋探しに不動産仲介店に来ています。クリスティーヌと店の人の会話を3回聞いてください。
- 次の(1)～(5)について，会話の内容に一致する場合は解答欄の①に，一致しない場合は②にマークしてください。

（メモは自由にとってかまいません）

〈CDを聞く順番〉 B-5 → B-6 → B-6 → B-6

(1) クリスティーヌはパリにずっとまえから住んでいる。
(2) クリスティーヌは1DKで，できれば駐車場つきのアパルトマンを希望している。
(3) 紹介されたアパルトマンは駅から遠すぎる。
(4) クリスティーヌはワンルームマンションを借りることにした。
(5) クリスティーヌは適当な物件がなかったのでもう一度不動産屋に来るか電話するようにと言われた。

(1)	(2)	(3)	(4)	(5)

EXERCICE 2

- シュザンヌが席を予約するために空港に来ています。シュザンヌと係員の会話を3回聞いてください。
- 次の(1)～(5)について，会話の内容に一致する場合は解答欄の①に，一致しない場合は②にマークしてください。

（メモは自由にとってかまいません）

〈CDを聞く順番〉 B-7 → B-8 → B-8 → B-8

(1) シュザンヌは翌日午後のローマ行きの飛行機の予約したい。
(2) 乗客は一律，出発の30分まえに空港へ来なければならない。
(3) 11時発の便は12時35分にローマに到着する。
(4) シュザンヌはビジネスクラスを希望している。
(5) シュザンヌは結局13時10分の便を予約することができた。

(1)	(2)	(3)	(4)	(5)

EXERCICE 3

・マルタン夫人とホテルのフロント係の会話を 3 回聞いてください。
・次の(1)〜(5)について，会話の内容に一致する場合は解答欄の①に，一致しない場合は②に
  マークしてください。
（メモは自由にとってかまいません）
〈CD を聞く順番〉 B-9 → B-10 → B-10 → B-10

(1) マルタン夫人は電話であらかじめ部屋の予約をしておいた。
(2) マルタン氏が翌朝夫人と合流する予定である。
(3) マルタン夫人の部屋は 3 階の222号室である。
(4) マルタン夫人は翌朝 7 時に起こしてもらうことを希望している。
(5) マルタン夫人はまだ夕食をすませていない。

(1)	(2)	(3)	(4)	(5)

------ **例題** ------

- ジャンとクレールの会話を3回聞いてください。
- 次の(1)〜(5)について，会話の内容に一致する場合は解答欄の①に，一致しない場合は②にマークしてください。

（メモは自由にとってかまいません）（配点　10）

〈CDを聞く順番〉 B-11 → B-12 → B-13 → B-14

(1) ジャンはレストランでの夕食にクレールを招待している。
(2) クレールは今週の土曜日は先約がある。
(3) 夕食会は次週の土曜日に行われることになった。
(4) 夕食会は6時半から行われる。
(5) クレールはトマを誘うことに乗り気ではない。

note

(1)	(2)	(3)	(4)	(5)

3 会話文聞き取り問題

（CD で読まれるテキスト）

Jean：Allô, c'est Claire ?　Bonjour.　C'est Jean.
Claire：Ah !　Bonjour Jean.　Ça va ?
Jean：Oui.　J'aimerais bien t'inviter à un petit dîner, à la maison.
Claire：Oh, c'est une bonne idée.　C'est gentil, merci !
Jean：Alors, est-ce que tu es libre samedi soir ?
Claire：Oh, c'est dommage, je suis déjà prise samedi soir, je suis invitée.
Jean：Alors, le samedi suivant, peut-être ?
Claire：Oui, c'est parfait, je n'ai rien de prévu.　À quelle heure ?
Jean：À sept heures et demie.　Je pense que je vais inviter aussi Thomas.
Claire：C'est une bonne idée.　Ça lui ferait très plaisir de te voir !

全文訳

ジャン：もしもし，クレール？こんにちは。ジャンだよ。
クレール：こんにちは，ジャン。元気？
ジャン：うん。自宅での夕食に君を招待したいんだけど。
クレール：いいアイデアね。ご親切に，ありがとう！
ジャン：で，土曜日の晩はあいてる？
クレール：あいにく，土曜日の晩は先約があるのよ，招待されてるの。
ジャン：それじゃあ，つぎの土曜日はどうかなあ？
クレール：ええ，結構よ，予定はなにもないわ。何時に？
ジャン：7時半に。トマも招待しようと思ってるんだ。
クレール：いい考えだわ。あなたに会えたらきっと大喜びよ。

・**解答**・　(1) ②　(2) ①　(3) ①　(4) ②　(5) ②

　　ジャンは電話でクレールの予定をたずねています。
　(1)　ジャンが誘っているのは，レストランではなくて自宅での夕食会です。
　(2)　クレールは今週の土曜日はすでにほかのところから招待をうけています。
　(3)　クレールの予定に合わせて，夕食会は次週に延期されました。
　(4)　夕食会の時間は sept heures et demie「7時半」です。
　(5)　トマを誘うというジャンの提案に，クレールは C'est une bonne idée.「いい考えだわ。」と答えています。

EXERCICE 4

- ジュリアンとパトリシアの会話を3回聞いてください。
- 次の(1)～(5)について，会話の内容に一致する場合は解答欄の①に，一致しない場合は②にマークしてください。

（メモは自由にとってかまいません）

〈CDを聞く順番〉 B-15 → B-16 → B-16 → B-16

(1) パトリシアは1週間の休暇をとって地方へ行った。
(2) パトリシアは以前から古代遺跡の修復に携わりたいと思っていた。
(3) パトリシアのグループは，数日まえから作業をはじめていたほかの学生グループと合流した。
(4) パトリシアのグループは古代城跡の修復をおこなった。
(5) パトリシアはこの活動に関する報告書を協会に提出しようとしている。

(1)	(2)	(3)	(4)	(5)

EXERCICE 5

- オリヴィエとルイーズの会話を3回聞いてください。
- 次の(1)～(5)について，会話の内容に一致する場合は解答欄の①に，一致しない場合は②にマークしてください。

（メモは自由にとってかまいません）

〈CDを聞く順番〉 B-17 → B-18 → B-18 → B-18

(1) 週末にルイーズはベルナールと芝居を見に行った。
(2) ルイーズとベルナールの芝居の感想は一致した。
(3) ルイーズはベルナールと口論し，ひとり地下鉄で帰宅した。
(4) オリビエはルイーズを来週の日曜日の映画へ誘っている。
(5) 映画の上映は夜の9時に始まる。

(1)	(2)	(3)	(4)	(5)

EXERCICE 6

- エリックとドミニクの会話を3回聞いてください。
- 次の(1)〜(5)について，会話の内容に一致する場合は解答欄の①に，一致しない場合は②にマークしてください。

（メモは自由にとってかまいません）

〈CDを聞く順番〉 B-19 → B-20 → B-20 → B-20

(1) エリックは今晩テレビで放映される映画をすでに見たことがある。
(2) ドミニクは今晩テレビで放映される映画を高く評価している。
(3) エリックは今晩セシルとレストランへ行く約束をしている。
(4) エリックが行く予定のレストランの費用は2人で約15ユーロである。
(5) 結局ドミニクもレストランへいっしょに行くことになった。

(1)	(2)	(3)	(4)	(5)

EXERCICE 7

- ペルティーニ夫人とリセの校長の会話を3回聞いてください。
- 次の(1)〜(5)について，会話の内容に一致する場合は解答欄の①に，一致しない場合は②にマークしてください。

（メモは自由にとってかまいません）

〈CDを聞く順番〉 B-21 → B-22 → B-22 → B-22

(1) ペルティーニ家の人たちはイタリアから引っ越してきた。
(2) ポーリーヌは16歳で，フランス語はできない。
(3) ポーリーヌは9月1日に入学試験を受けなければならない。
(4) ペルティーニ夫人は出生証明書と健康診断書を提出しなければならない。
(5) リセの授業料は無料である。

(1)	(2)	(3)	(4)	(5)

---- **例題** ----

・デュヴァル氏へのインタビューを3回聞いてください。
・次の(1)～(5)について，インタビューの内容に一致する場合は解答欄の①に，一致しない場合は②にマークしてください。
（メモは自由にとってかまいません）（配点　10）

〈CDを聞く順番〉 B-23 → B-24 → B-25 → B-26

(1)　デュヴァル氏は朝起きるとまず郵便物に目を通す。
(2)　デュヴァル氏は朝シャワーを浴びて，服を着替えたあとコーヒーを飲む。
(3)　デュヴァル氏は仕事をしていないとき，森を散歩する。
(4)　デュヴァル氏は朝の2時までには寝るようにしている。
(5)　デュヴァル氏は田舎生活が気に入っている。

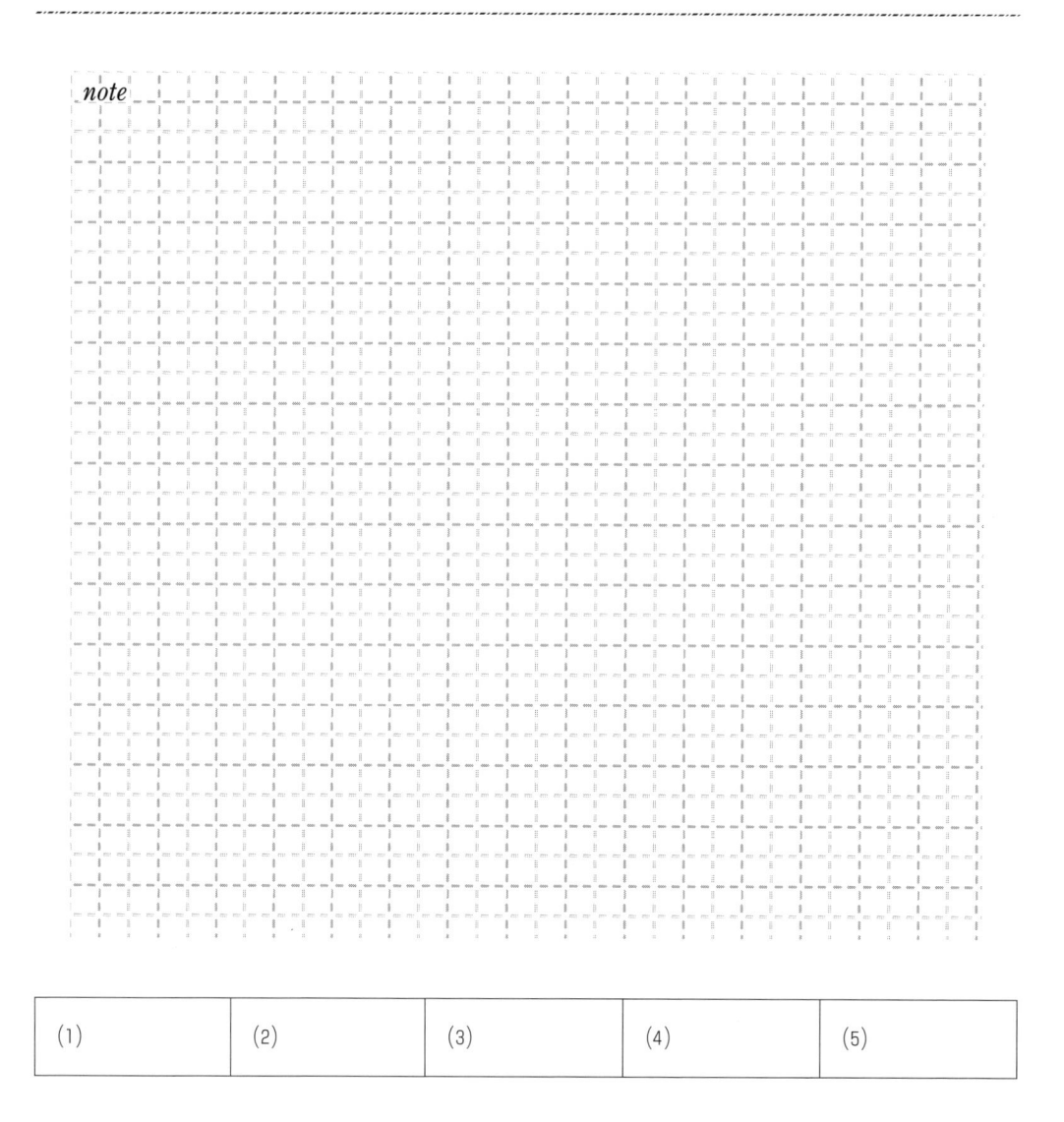

note

(1)	(2)	(3)	(4)	(5)

3　会話文聞き取り問題

（CDで読まれるテキスト）
　La journaliste：Monsieur Duval, vous êtes un écrivain connu. Racontez-nous une journée normale.
　　　M. Duval：Je fais comme tout le monde, je me lève le matin et je me couche le soir !
　La journaliste：À quelle heure vous vous levez, en général ?
　　　M. Duval：Je me lève à 8 heures. D'abord, je m'occupe de mon courrier, j'ouvre mes méls.
　La journaliste：Et ensuite ?
　　　M. Duval：Je prends un bon café. Après, je me douche et je m'habille. Rien d'original !
　La journaliste：Ben oui. Qu'est-ce que vous faites quand vous n'écrivez pas ?
　　　M. Duval：Je me promène dans la forêt. Je m'intéresse beaucoup à la nature en général. C'est une source d'inspiration.
　La journaliste：Vous vous couchez tard ?
　　　M. Duval：Oui, je me couche vers 2 heures du matin, pas avant. J'aime travailler la nuit, dans le calme.
　La journaliste：Vous êtes parisien, mais, maintenant, vous habitez en pleine campagne. Vous vous habituez à cette nouvelle vie ?
　　　M. Duval：J'aime le changement. Je m'y habitue très vite.

全文訳
　ジャーナリスト：デュヴァルさん，あなたは著名な作家です。ふだんの1日について話してください。
　デュヴァル氏：みなさんと同じですよ，朝起きて，夜寝ます！
　ジャーナリスト：ふだんは何時に起きますか？
　デュヴァル氏：8時に起きます。まず，郵便物に目を通して，メールを開きます。
　ジャーナリスト：それから？
　デュヴァル氏：おいしいコーヒーを飲みます。そのあとシャワーを浴びて，服を着替えます。変わったところはなにもありません！
　ジャーナリスト：そうですね。書いていないときはなにをしているのですか？
　デュヴァル氏：森を散歩します。自然一般にとても興味があるんです。これが着想の源泉なんです。
　ジャーナリスト：寝るのは遅いんですか？
　デュヴァル氏：はい，朝の2時ごろ寝ます，それより早いということはありません。夜，静かなときに仕事をするのが好きなんです。
　ジャーナリスト：あなたはパリの人です，でも今は，田舎で暮らしています。この新しい生活には慣れるのですか？
　デュヴァル氏：私は変化が好きなんです。すぐに慣れてしまいます。

・**解答**・　(1) ①　(2) ②　(3) ①　(4) ②　(5) ①

　　　作家のデュヴァル氏へのインタビューです。日常の生活が話題になっています。
　　(1) デュヴァル氏は，朝起きるとまず郵便物やメールに目を通します。
　　(2) デュヴァル氏はおいしいコーヒーを飲み，そのあとシャワーを浴びて，服を着替えます。
　　(3) デュヴァル氏は散歩します。自然が好きで，これが着想の源泉になってます。
　　(4) デュヴァル氏は2時ごろ寝て，pas avant「それより早いことはない」と言っています。
　　(5) デュヴァル氏は自然を愛しています。田舎での新しい生活にもすぐに慣れると答えています。

EXERCICE 8

・ソフィーへのインタビューを3回聞いてください。
・次の(1)〜(5)について，インタビューの内容に一致する場合は解答欄の①に，一致しない場合は②にマークしてください。
（メモは自由にとってかまいません）
〈CDを聞く順番〉 B-27 → B-28 → B-28 → B-28

(1) ソフィーは19歳の学生である。
(2) ソフィーは体調を保つために食事に気をつかっている。
(3) ソフィーは5，6キロ体重を落としたいと思っている。
(4) ソフィーは8時間の睡眠を心がけている。
(5) ソフィーはスポーツジムに週に2回通っている。

(1)	(2)	(3)	(4)	(5)

EXERCICE 9

・ダヴィドへのインタビューを3回聞いてください。
・次の(1)〜(5)について，インタビューの内容に一致する場合は解答欄の①に，一致しない場合は②にマークしてください。
（メモは自由にとってかまいません）
〈CDを聞く順番〉 B-29 → B-30 → B-30 → B-30

(1) ダヴィドははじめてニースへ来た。
(2) ダヴィドはニースの美術館に興味をもっている。
(3) ダヴィドはニースの町並み，市場，下町が気に入っている。
(4) ダヴィドはまだニースの旧市街へ行ったことがない。
(5) ダヴィドはニースのレストランを値段が高いと感じている。

(1)	(2)	(3)	(4)	(5)

EXERCICE 10

・ミシェルへのインタビューを3回聞いてください。
・次の(1)～(5)について，インタビューの内容に一致する場合は解答欄の①に，一致しない場合は②にマークしてください。
（メモは自由にとってかまいません）
〈CDを聞く順番〉 B-31 → B-32 → B-32 → B-32

(1) ミシェルは時間があったので，世論調査にこころよく応じた。
(2) ミシェルは既婚者で，2人の娘がいる。
(3) ミシェルは1人で家事を担当していて，夫が手伝うことはない。
(4) ミシェルの子どもたちは家事を手伝ってくれる。
(5) ミシェルは男も家事を手伝うべきだという考えである。

(1)	(2)	(3)	(4)	(5)

------- **例題** -------

・シモンが友人たちに宛てて書いた手紙を 3 回聞いてください。
・次の(1)～(5)について，手紙の内容に一致する場合は解答欄の①に，一致しない場合は②にマークしてください。
（メモは自由にとってかまいません）（配点　10）
〈CD を聞く順番〉　B-33 → B-34 → B-35 → B-36

(1)　シモンの娘ドゥニーズは階段で転んで負傷した。
(2)　シモンの娘ドゥニーズはいったん帰宅した。
(3)　シモンの娘ドゥニーズは脚を骨折していた。
(4)　シモンの娘ドゥニーズはしばらく家で安静にしていなければならない。
(5)　シモンの娘ドゥニーズは約束の日に出かけることができる。

note

(1)	(2)	(3)	(4)	(5)

3　会話文聞き取り問題

（CDで読まれるテキスト）

　Chers amis,

　J'ai une bien mauvaise nouvelle à vous annoncer. Avant-hier, Denise revenait du marché avec ma femme, quand un gros chien, courant sur le trottoir, l'a jetée à terre. Ma femme l'a d'abord conduite dans une pharmacie, puis l'a ramenée à la maison. Pendant la nuit, ma fille a mal dormi. Elle avait de la fièvre.

　Hier, je l'ai conduite à la clinique Meunier. Le docteur m'a dit qu'elle avait le bras cassé. Elle va devoir rester tranquille à la maison pendant quelques jours. Nous n'allons donc pas pouvoir venir chez vous le week-end du 20 mai. Mais nous espérons pouvoir vous voir avant la fin de l'été. Croyez bien que nous en sommes désolés.

　Bien amicalement,

　　　　　　　　　　　　　　　　　　　　　　　　　　　　　　　　　　　Simon

全文訳

　私はあなたがたに悪いニュースをお知らせしなければりません。一昨日，ドゥニーズは家内と市場から帰ってくるところでした。そのとき，歩道を走ってきた大きな犬が彼女を地面に押し倒しました。家内はまず彼女を薬局へ連れて行き，それから家へ連れて帰りました。夜，娘はよく眠れませんでした。熱がでたのです。

　きのう，私は彼女をムニエ医院へ連れて行きました。医者は私に，彼女が腕を骨折していると言いました。彼女は数日間，家で安静にしていなければなりません。だから私たちは5月20日の週末に，あなたがたの家へお伺いすることができません。しかし，夏が終わるまえにあなたがたにお会いできればいいと思っています。私たちががっかりしていることをお察しください。

　敬具

　　　　　　　　　　　　　　　　　　　　　　　　　　　　　　　　　　　シモン

・**解答**・　(1) ②　(2) ①　(3) ②　(4) ①　(5) ②

　　　　娘にアクシデントがあったために，週末の訪問をキャンセルしなければならない旨を伝える手紙です。
　　(1) ドゥニーズは大型犬に押し倒されて負傷しました。
　　(2) 母親は，ドゥニーズと薬局によったあと，彼女を家へ連れ帰りました。
　　(3) le bras cassé ですから，骨折したのは腕です。
　　(4) 「ドゥニーズは数日間，家で安静にしていなければならない」と書かれています。
　　(5) 5月20日の週末には行けないけれど，夏の終わりまでには会えると書かれています。

EXERCICE 11

- セシルが友人のフロランスへ書いた手紙を3回聞いてください。
- 次の(1)～(5)について，手紙の内容に一致する場合は解答欄の①に，一致しない場合は②にマークしてください。

（メモは自由にとってかまいません）

〈CDを聞く順番〉 B-37 → B-38 → B-38 → B-38

(1) セシルにはリヨンにフロランスという名前の友だちがいる。
(2) セシルはパリのレストランへ友だちといっしょに行った。
(3) TGVでパリからリヨンまで2時間以上かかった。
(4) リヨンは近代的で由緒ある町である。
(5) セシルはあす織物博物館へ行く予定である。

(1)	(2)	(3)	(4)	(5)

EXERCICE 12

- ダニエルが友人のジャンヌへ書いた手紙を3回聞いてください。
- 次の(1)～(5)について，手紙の内容に一致する場合は解答欄の①に，一致しない場合は②にマークしてください。

（メモは自由にとってかまいません）

〈CDを聞く順番〉 B-39 → B-40 → B-40 → B-40

(1) ダニエルはジャンヌと長いあいだ会っていない。
(2) ジャンヌはパリに住んでいる。
(3) ダニエルはジャンヌの弟と知り合いである。
(4) ダニエルは自宅でのパーティーにジャンヌを招待している。
(5) パーティーは18時に始まる。

(1)	(2)	(3)	(4)	(5)

第1回
実用フランス語技能検定模擬試験

試験問題冊子 〈 3級 〉

問題冊子は試験開始の合図があるまで開いてはいけません。

筆 記 試 験　14時00分～15時00分
　　　　　　　（休憩なし）
聞きとり試験　15時00分から約15分間

◇問題冊子は表紙を含め16ページ、全部で筆記試験が9問題、聞きとり試験が3問題です。

注 意 事 項

1　筆記具はすべてHBの黒鉛筆（シャープペンシルも可）を用いてください。
2　解答用紙の所定欄に、**受験番号**と**氏名**が印刷されていますから、間違いがないか、**確認**してください。
3　**解答はすべて解答用紙の指定された箇所に記入してください。**
　　記入見本　| 1 | 2 | 3 | 4 | 5 | 6 | 7 | 8 | 9 | 0 |
　　　　　　　○ … 🌑　　　× … ⊠
4　フランス語による解答の場合、正しく判読できない文字で書かれたものは採点の対象となりません。
5　解答に関係のないことを書いた答案は無効にすることがあります。
6　解答用紙を折り曲げたり、破ったり、汚したりしないように注意してください。
7　試験に際しては、途中退出をいっさい認めません。
8　不正行為はただちに退場、それ以降および来季以後の受験資格を失うことになります。
9　**携帯電話・ポケットベル等の電源は必ず切っておいてください。**
10　時計のアラームは使用しないでください。

筆記試験終了後、休憩なしに聞きとり試験にうつります。

1

次の日本語の表現(1)～(4)に対応するように、(　)内に入れるのに最も適切なフランス語（各1語）を、**示されている最初の文字**とともに、解答欄に書いてください。（配点　8）

(1) 一杯のコーヒー　　　　　une (t　　　) de café

(2) 要するに　　　　　　　　après (t　　　)

(3) 週に1度　　　　　　　　une (f　　　) par semaine

(4) よい休暇を！　　　　　　Bonnes (v　　　) !

2 次のフランス語の文(1)〜(5)をよく読んで、(   )内の語を必要な形にして、解答欄に書いてください。（配点 10）

(1) —Demain, je donnerai une petite fête chez moi. Vous (venir), n'est-ce pas ?
　—Oh, oui ! Avec plaisir !

(2) —Tu m'as téléphoné hier soir ?
　—Oui, mais c'(être) occupé.

(3) —Tu peux venir au cinéma avec moi ?
　—Je suis désolé. Il faut que j'(aller) voir ma tante.

(4) —Votre mère n'est pas là ?
　—Non, elle (sortir) à 10 heures.

(5) —Votre salon est grand et très clair.
　—Oui, il me plaît. Mais il (servir) aussi de bureau à mon père.

3

次の(1)～(4)の(　)内に入れるのに最も適切なものを、それぞれ下の①～③のなかから1つずつ選び、解答欄のその番号にマークしてください。(配点 8)

(1) Ces enfants ? Ce sont (　　　) de mon cousin.
  ① celui ② ceux ③ eux

(2) Nos voisins ont un gros chien (　　　) nous avons peur.
  ① dont ② que ③ qui

(3) Répondez-(　　　) quand je vous pose une question.
  ① je ② me ③ moi

(4) Voici trois bons disques. (　　　) veux-tu écouter ?
  ① Lequel ② Quel ③ Quoi

4

次の (1)〜(4) の (　) 内に入れるのに最も適切なものを、下の ①〜⑥ のなかから1つずつ選び、解答欄のその番号にマークしてください。ただし、同じものを複数回用いることはできません。(配点 8)

(1) Je n'aurais pas pu réussir (　　　) votre aide.

(2) Mon fils a très honte (　　　) ce qu'il a fait.

(3) Nous avons demandé (　　　) Marie de jouer du piano.

(4) Voulez-vous venir à mon bureau (　　　) dix et onze heures ?

① à　　② de　　③ en
④ entre　⑤ par　⑥ sans

5

例にならい、次の(1)～(4)において、それぞれ①～⑤をすべて用いて文を完成させたときに、（ ）内に入るのはどれですか。①～⑤のなかから1つずつ選び、解答欄のその番号にマークしてください。（配点 8）

例：Je n'ai pas ___ ___ ( ) ___ ___ .
　　① courage　② de　③ le　④ lui　⑤ parler

Je n'ai pas le courage (de) lui parler.
　　　　　　③　①　　②　④　⑤

となり、③ ① ② ④ ⑤ の順なので、（ ）内に入るのは②。

(1) C'est ___ ___ ( ) ___ ___ ce livre.
　　① a　② conseillé　③ elle　④ qui　⑤ vous

(2) Je ___ ___ ( ) ___ ___ à la gare.
　　① aller　② chercher　③ ta　④ vais　⑤ valise

(3) N'as-tu ___ ___ ( ) ___ ___ ?
　　① aucune　② de　③ intention　④ le　⑤ voir

(4) Vous savez ___ ___ ( ) ___ ___ ?
　　① a　② il　③ prise　④ quelle　⑤ route

6

次の(1)〜(4)の**A**と**B**の対話を完成させてください。**B**の下線部に入れるのに最も適切なものを、それぞれ①〜③のなかから1つずつ選び、解答欄のその番号にマークしてください。（配点　8）

(1) **A** : Allô, c'est la librairie Morin ?
   B : ＿＿＿＿＿＿＿＿＿＿
   A : Oh ! excusez-moi, je me suis trompée de numéro.

   ① 　Non. Vous devez faire erreur.
   ② 　Non, elle n'est pas là.
   ③ 　Oui. C'est de la part de qui ?

(2) **A** : J'aimerais bien aller au bord de la mer ce week-end.
   B : ＿＿＿＿＿＿＿＿＿＿
   A : Et si on y allait ensemble ?

   ① 　Désolée, mais je ne peux pas.
   ② 　Je ne sais pas encore.
   ③ 　Moi aussi, j'en ai très envie.

(3) **A** : Monsieur, je peux vous renseigner ?
   B : ＿＿＿＿＿＿＿＿＿＿
   A : D'abord, dites-moi, c'est pour quelle utilisation ?

   ① 　Je voudrais aller à la poste.
   ② 　Je voudrais un ordinateur.
   ③ 　Vous pouvez m'expliquer comment on y va ?

(4) **A** : Tu n'as pas faim ?
   B : ＿＿＿＿＿＿＿＿＿＿
   A : Ah non ! Aujourd'hui, je t'emmène au restaurant.

   ① 　Ah si. Je veux bien.
   ② 　Non. Moi, j'ai soif.
   ③ 　Si. On va prendre un sandwich et un demi ?

7

次の(1)～(6)の(　)内に入れるのに最も適切なものを、下の①～⑧のなかから1つずつ選び、解答欄のその番号にマークしてください。ただし、同じものを複数回用いることはできません。（配点　6）

(1) Enlève tes (　　　) avant d'entrer, elles sont pleines de boue !

(2) J'écoute les (　　　) tous les matins à la radio.

(3) Je me suis fait couper les (　　　) hier.

(4) Le couturier coupe du tissu avec ses (　　　).

(5) Ma grand-mère ne peut pas lire sans ses (　　　).

(6) Quelles (　　　) parles-tu ?

① chaussures　② cheveux　③ ciseaux　④ jambes
⑤ langues　⑥ lunettes　⑦ nouvelles　⑧ riz

8 次はシャルル・ド・ゴール空港のエアターミナルとパリを結ぶ交通案内です。下の(1)～(6)について、案内の内容に一致する場合は解答欄の①に、一致しない場合は②にマークしてください。（配点 6）

PARIS ◀▶ AÉROGARES CDG (ROISSY)

ROISSY RAIL

un train pour être à l'heure

- 35 minutes de trajet.
- 1 départ toutes les 15 minutes (voir horaire ci-contre).
- Des dessertes directes au cœur de Paris.
- De nombreuses correspondances avec le métro et le RER.

DE PARIS AUX AÉROGARES CDG (ROISSY)

- **Vente des billets :** dans toutes les gares RER (lignes A, B, C).
- **Points de départ :** toutes les gares de la ligne B du RER entre Cité Universitaire et Gare du Nord.
— Monter à bord des trains affichés dont le code commence par E : ECHO, EDEN, ELAN, ERIC, ETAL ou ETEL ; départ toutes les 15 minutes de 5 h 30 à 23 h 30 (voir horaire ci-contre).
- **Arrivée :** gare de Roissy-Aéroport Ch.-de-Gaulle.
— À la sortie de la gare, emprunter : soit la navette aérogare 1, soit la navette aérogare 2 (ces navettes desservent aussi le parc B).

DES AÉROGARES CDG (ROISSY) A PARIS

- **Points de départ :** prendre la navette aéroport :
— Aérogare 1 : Porte 30, niveau Arrivée.
— Aérogare 2 : Portes A5 et B6.
— Descendre à la gare SNCF Roissy-Aéroport CDG.
- **Vente des billets :** dans la gare RER de Roissy-Aéroport CDG.
— Prendre le train en correspondance vers Paris (voir horaire ci-contre).
- **Arrivée :** dans toutes les gares de la ligne B du RER situées dans Paris (correspondance métro dans 3 gares).

(1) 空港行きの7時の列車はない。

(2) 空港行きの始発列車は5時30分にでる。

(3) 空港行きの各列車は、エアターミナルのシャトルバスと連絡している。

(4) 列車はパリと空港を30分で結んでいる。

(5) パリ行きの乗車券は、首都圏高速鉄道網ロワシー＝シャルル・ド・ゴール空港駅で買うことができる。

(6) 空港行きの列車には、首都圏高速鉄道網A、B、C線のすべての駅から乗ることができる。

9 次はホテルのレセプションでのマルシャン氏と受付係の会話です。(1)〜(4)に入れるのに最もふさわしいものを、下の①〜⑦のなかから1つずつ選び、解答欄のその番号にマークしてください。ただし、同じものを複数回用いることはできません。
(配点 8)

M. Marchand : Bonjour. (1).
Le réceptionniste : Ah, oui, monsieur Moreau. Vous êtes en déplacement pour la société Frantexport, n'est-ce pas ? (2), s'il vous plaît ?
M. Marchand : Oui, voilà mon passeport.
Le réceptionniste : Merci, monsieur. Voulez-vous remplir la fiche ?
M. Marchand : Bien sûr !
Le réceptionniste : Voilà votre clef. Vous avez la chambre trois cent cinq, avec douche.
M. Marchand : (3) ?
Le réceptionniste : C'est au troisième à gauche en sortant de l'ascenseur. Il y a un ascenseur au fond du couloir.
M. Marchand : À quelle heure est le dîner ?
Le réceptionniste : (4), monsieur.

① À partir de dix-neuf heures
② C'est à quel étage
③ Donnez-moi le numéro de ma chambre
④ J'ai réservé une chambre au nom de Michel Moreau
⑤ Je voudrais réserver une chambre
⑥ Pour combien de personnes
⑦ Vous avez une pièce d'identité

聞き取り試験問題
(部分的な書き取りを含む)

聞き取り試験時間は、
15時15分から約15分間

注意事項

1 聞き取り試験は、CD・テープでおこないますので、CD・テープの指示に従ってください。
2 解答はすべて筆記試験と同じ解答用紙の解答欄に、**HBまたはBの黒鉛筆**(シャープペンシルも可)で記入またはマークしてください。

1

次は、パトリックとナディーヌの会話です。
- 1回目は全体をとおして読みます。
- 2回目は、ポーズをおいて読みますから、(1)～(5)の部分を解答欄に書きとってください。それぞれの（　）内に入るのは1語とはかぎりません。
- 最後（3回目）に、もう1度全体をとおして読みます。
- 読み終えてから60秒、見なおす時間があります。
- 数を記入する場合は、算用数字で書いてください。

（メモは自由にとってかまいません）（配点　10）

〈CDを聞く順番〉 B-41 → B-42 → B-43 → B-44

Patrick : Tu vas à la (1) chez Christine ?
Nadine : C'est quand ?
Patrick : Samedi soir. Il y a un groupe. Ça va être sympa.
Nadine : D'accord. Tu sais (2) elle habite ?
Patrick : Oui, ce n'est pas très (3) de la fac.
Nadine : Tu m'expliques (4) on va chez elle ?
Patrick : On peut partir ensemble samedi soir.
Nadine : C'est une (5). Tu lui as acheté quelque chose ?
Patrick : Pas encore.

メモ欄

2
- フランス語の文(1)～(5)を、それぞれ3回聞いてください。
- それぞれの文に最もふさわしい絵を、下の①～⑨のなかから1つずつ選び、解答欄のその番号にマークにしてください。ただし、同じものを複数回用いることはできません。

（メモは自由にとってかまいません）（配点　10）

〈CDを聞く順番〉 B-45 → B-46

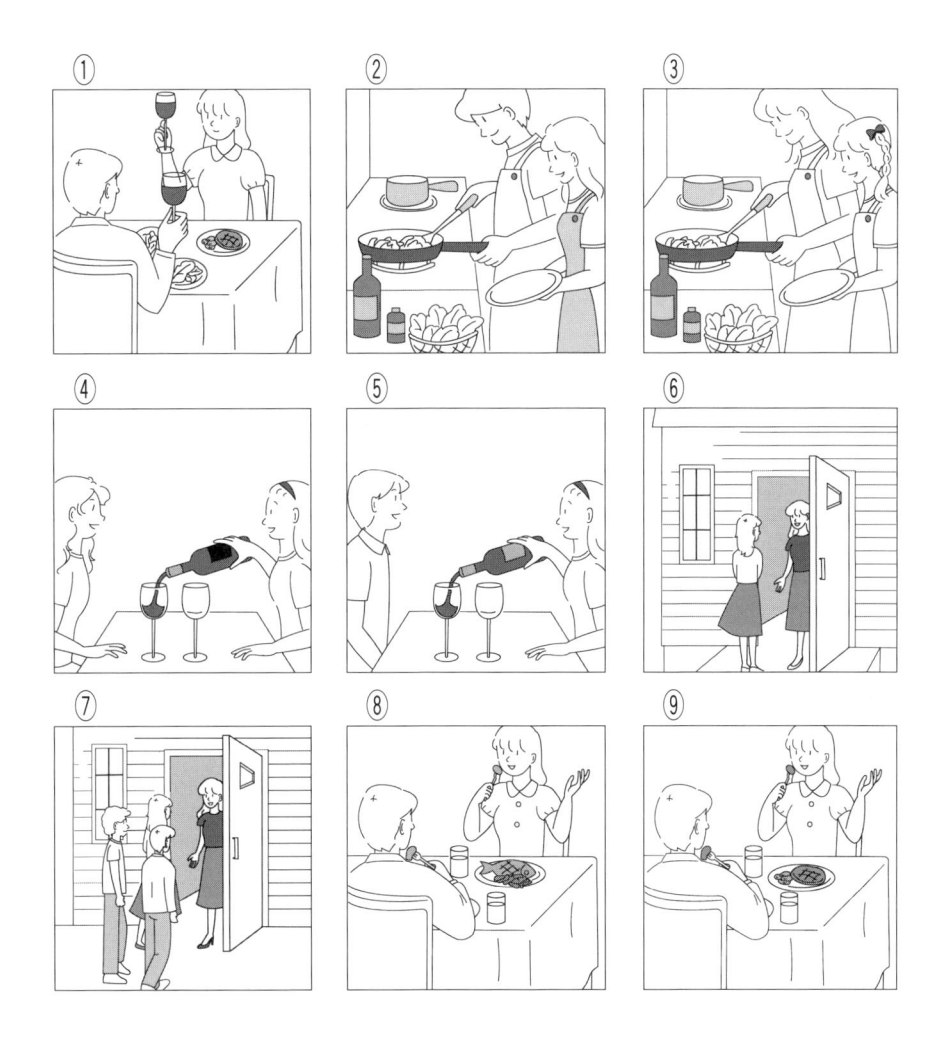

(1)

(2)

(3)

(4)

(5)

3
- エロディとアランの会話を3回聞いてください。
- 次の(1)～(5)について、会話の内容に一致する場合は解答欄の①に、一致しない場合は②にマークしてください。
（メモは自由にとってかまいません）（配点 10）
〈CDを聞く順番〉 B-47 → B-48 → B-49 → B-50

(1) エロディは2つの良いニュースを知らせた。

(2) エロディは運転免許の試験に落ちた。

(3) エロディが運転免許の試験をうけたのは2回目である。

(4) エロディはミシェルと最近結婚した。

(5) エロディの結婚をアランは祝福している。

メモ欄

第1回 実用フランス語技能検定模擬試験 (3級) 解答用紙

第 2 回
実用フランス語技能検定模擬試験

試験問題冊子 〈 3 級 〉

問題冊子は試験開始の合図があるまで開いてはいけません。

```
筆 記 試 験   14時00分～15時00分
            （休憩なし）
聞き取り試験   15時00分から約15分間
```

◇問題冊子は表紙を含め16ページ、全部で筆記試験が9問題、聞きとり試験が3問題です。

注 意 事 項

1. 筆記具はすべてHBの黒鉛筆（シャープペンシルも可）を用いてください。
2. 解答用紙の所定欄に、**受験番号**と**氏名**が印刷されていますから、間違いがないか、**確認**してください。
3. **解答はすべて解答用紙の指定された箇所に記入してください。**

   記入見本 1 2 3 4 5 6 7 8 9 0

   ○ … ⓪   × … ⓧ

4. フランス語による解答の場合、正しく判読できない文字で書かれたものは採点の対象となりません。
5. 解答に関係のないことを書いた答案は無効にすることがあります。
6. 解答用紙を折り曲げたり、破ったり、汚したりしないように注意してください。
7. 試験に際しては、途中退出をいっさい認めません。
8. 不正行為はただちに退場、それ以降および来季以後の受験資格を失うことになります。
9. 携帯電話・ポケットベル等の電源は必ず切っておいてください。
10. 時計のアラームは使用しないでください。

筆記試験終了後、休憩なしに聞きとり試験にうつります。

1

次の日本語の表現(1)～(4)に対応するように、（　）内に入れるのに最も適切なフランス語（各1語）を、**示されている最初の文字とともに**、解答欄に書いてください。（配点　8）

(1) 彼はめったに旅行しない。

　　Il ne voyage (p　　　　) jamais.

(2) 長いあいだここにお住まいなんですか？

　　Vous habitez ici depuis (l　　　　) ?

(3) のちほどお会いしましょう。

　　On se verra plus (t　　　　).

(4) もちろん、そのことは知っています。

　　Bien (s　　　　), je le sais.

2

次のフランス語の文(1)〜(5)をよく読んで、(　)内の語を必要な形にして、解答欄に書いてください。(配点　10)

(1) —François et Jean, un peu de calme !
　　—Comment veux-tu que nous (être) calmes ?

(2) —Je vais partir pour le Japon demain matin.
　　—C'est dommage. Si vous restiez deux ou trois jours de plus, ça lui (faire) plaisir.

(3) —Madame Dumont, vous (aller) à la réunion hier ?
　　—Non, j'étais malade.

(4) —Madame, (prendre) donc un petit gâteau.
　　—Vos gâteaux sont vraiment très bons.

(5) —Tu as été content de revoir ton amie ?
　　—Oui, j'(attendre) ce moment depuis longtemps.

3

次の(1)〜(4)の( )内に入れるのに最も適切なものを、それぞれ下の①〜③のなかから1つずつ選び、解答欄のその番号にマークしてください。(配点 8)

(1) À ( ) est-ce qu'il s'intéresse ?
   ① moi   ② que   ③ quoi

(2) Cet après-midi, nous avons un cours de français. Toi, tu ( ) assistes ?
   ① en   ② l'   ③ y

(3) Il fait trop chaud dans la pièce ( ) nous travaillons.
   ① dont   ② où   ③ que

(4) Il y a une télévision dans ( ) des chambres de l'hôtel.
   ① chacune   ② personne   ③ quelque chose

4

次の(1)～(4)の( )内に入れるのに最も適切なものを、下の①～⑥のなかから1つずつ選び、解答欄のその番号にマークしてください。ただし、同じものを複数回用いることはできません。(配点 8)

(1) Asseyez-vous ( ) cette chaise.

(2) Tous les matins, elle se lève ( ) bonne heure.

(3) Tu reviendras ( ) Noël.

(4) Valérie, aide-moi ( ) déplacer cette table.

① à   ② avec   ③ dans
④ de   ⑤ pour   ⑥ sur

5

例にならい、次の(1)～(4)において、それぞれ①～⑤をすべて用いて文を完成させたときに、（　）内に入るのはどれですか。①～⑤のなかから1つずつ選び、解答欄のその番号にマークしてください。（配点　8）

例：Je n'ai pas ＿＿＿ ＿＿＿ （　） ＿＿＿ ＿＿＿.
　　① courage　② de　③ le　④ lui　⑤ parler

Je n'ai pas le courage (de) lui parler.
　　　　　　③　①　②　④　⑤

となり、③ ① ② ④ ⑤ の順なので、（　）内に入るのは ②。

(1) Elle ＿＿＿ ＿＿＿ （　） ＿＿＿ ＿＿＿.
　　① à　② arrivée　③ est　④ l'heure　⑤ tout

(2) Il y a ＿＿＿ ＿＿＿ （　） ＿＿＿ ＿＿＿.
　　① habite　② ici　③ il　④ qu'　⑤ six mois

(3) J'ai ＿＿＿ ＿＿＿ （　） ＿＿＿ ＿＿＿.
　　① chez　② fait　③ Marie　④ moi　⑤ venir

(4) Je ＿＿＿ ＿＿＿ （　） ＿＿＿ ＿＿＿.
　　① courses　② des　③ dimanche　④ fais　⑤ le

6

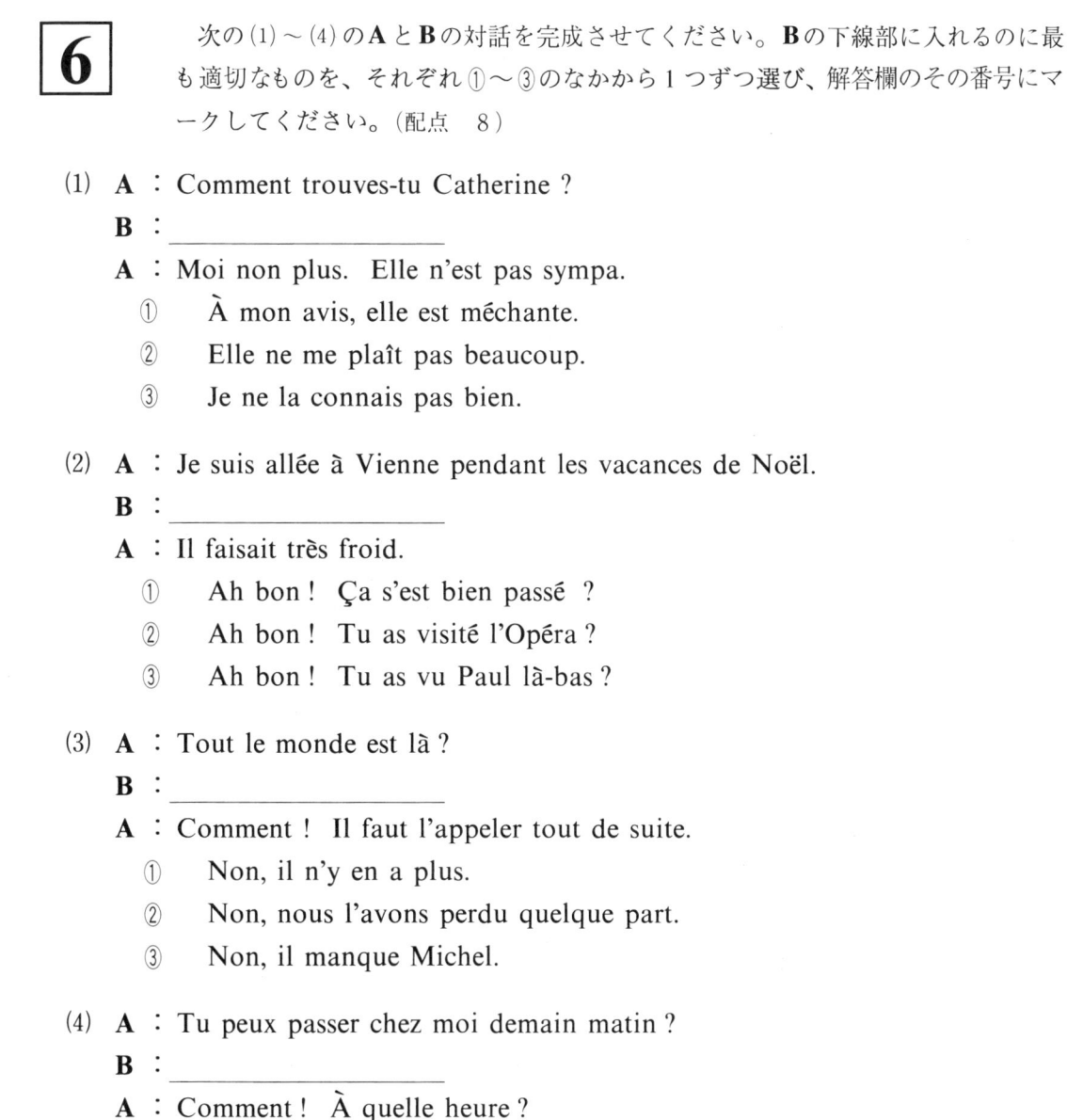

次の(1)〜(4)の**A**と**B**の対話を完成させてください。**B**の下線部に入れるのに最も適切なものを、それぞれ①〜③のなかから1つずつ選び、解答欄のその番号にマークしてください。（配点 8）

(1) **A** : Comment trouves-tu Catherine ?
   B : _____
   A : Moi non plus. Elle n'est pas sympa.
   ① À mon avis, elle est méchante.
   ② Elle ne me plaît pas beaucoup.
   ③ Je ne la connais pas bien.

(2) **A** : Je suis allée à Vienne pendant les vacances de Noël.
   B : _____
   A : Il faisait très froid.
   ① Ah bon ! Ça s'est bien passé ?
   ② Ah bon ! Tu as visité l'Opéra ?
   ③ Ah bon ! Tu as vu Paul là-bas ?

(3) **A** : Tout le monde est là ?
   B : _____
   A : Comment ! Il faut l'appeler tout de suite.
   ① Non, il n'y en a plus.
   ② Non, nous l'avons perdu quelque part.
   ③ Non, il manque Michel.

(4) **A** : Tu peux passer chez moi demain matin ?
   B : _____
   A : Comment ! À quelle heure ?
   ① D'accord, je n'y manquerai pas.
   ② Désolé, j'ai rendez-vous avec Mireille.
   ③ Heureusement, je ne suis pas pris demain matin.

7 次の(1)〜(6)の(　)内に入れるのに最も適切なものを、下の①〜⑧のなかから1つずつ選び、解答欄のその番号にマークしてください。ただし、同じものを複数回用いることはできません。(配点　6)

(1) C'est bientôt l'heure du déjeuner. Tu n'as pas (　　　) ?

(2) Elle était une bonne (　　　) à l'école.

(3) Je voudrais vous écrire, mais je ne connais pas votre nouvelle (　　　).

(4) Le rayon des jouets se trouve au troisième (　　　).

(5) Pour payer, vous devez passer à la (　　　).

(6) Tu préfères nager dans la mer ou dans une (　　　) ?

① adresse　② bureau　③ caisse　④ élève
⑤ étage　⑥ faim　⑦ froid　⑧ piscine

8

次の手紙はソレル夫人が受けとったある会社の採用通知です。下の (1)〜(6) について、手紙の内容に一致する場合は解答欄の ① に、一致しない場合は ② にマークしてください。（配点 6）

Marseille, le 20 janvier 20...

Madame,

Suite à notre entretien du 18 janvier, nous avons le plaisir de vous préciser les conditions de votre engagement.

Vous exercerez les fonctions d'assistante commerciale. Vous vous conformerez à l'horaire de travail de notre entreprise, à savoir : du lundi au jeudi, de 9 h à 17 h et le vendredi, de 9 h à 16 h.

Votre salaire sera de 1 300 euros. Vous bénéficierez de 5 semaines de congés payés par an.

Les deux parties auront la possibilité de mettre fin au contrat, à charge de prévenir l'autre partie au moins un mois à l'avance.

Nous vous prions de nous confirmer votre accord sur les termes de la présente lettre en nous retournant avant le 30 janvier la copie ci-jointe sur laquelle vous aurez apposé la date et votre signature.

Veuillez agréer, madame, nos sentiments distingués.

Julie Dumont

(1) ソレル夫人はこの採用通知がとどくまえに会社の面接を受けている。
(2) この会社は週休2日制である。
(3) この会社では前もって連絡すれば有給休暇を何日でもとることができる。
(4) この会社では少なくとも2週間まえに連絡すれば契約を解消することができる。
(5) 採用を希望する場合、ソレル夫人は同封されている書類に署名して返送する必要がある。
(6) 採用を希望する場合、ソレル夫人はあらためて履歴書を提出しなければならない。

9

次はデュフール氏が銀行へ電話したときの会話です。(1)～(4)に入れるのに最も適切なものを、下の①～⑦のなかから１つずつ選び、解答欄のその番号にマークしてください。ただし、同じものを複数回用いることはできません。なお、①～⑦では、文頭にくるものも小文字にしてあります。（配点　8）

M. Dufour：Bonjour, monsieur　Jacques Dufour (1).

L'employé：Oui.　Bonjour, monsieur Dufour.　(2) ?

M. Dufour：Je pars au Japon, samedi soir et je voudrais acheter des chèques de voyage.

L'employé：(3) ?

M. Dufour：Je voudrais cinq mille dollars.

L'employé：Voulez-vous des chèques de cinquante ou de cent dollars ?

M. Dufour：De cinquante dollars.　Et je voudrais aussi une carte de crédit internationale pour mes voyages à l'étranger.　(4) ?

L'employé：Oui, bien sûr.　Quand passez-vous les prendre ?

M. Dufour：Vendredi, vers deux heures, ça va ?

L'employé：Pas de problème.　Apportez votre passeport.

① à l'appareil
② c'est de la part de qui
③ combien voulez-vous
④ pour combien de personnes
⑤ que puis-je faire pour vous
⑥ vous pouvez la préparer
⑦ vous pouvez me prêter

聞き取り試験問題
(部分的な書き取りを含む)

聞き取り試験時間は、
15時15分から約15分間

注 意 事 項

1 聞き取り試験は、CD・テープでおこないますので、CD・テープの指示に従ってください。
2 解答はすべて筆記試験と同じ解答用紙の解答欄に、**HBまたはBの黒鉛筆**(シャープペンシルも可)で記入またはマークしてください。

1 次は、ホテルのフロントでの会話です。
- 1回目は全体をとおして読みます。
- 2回目は、ポーズをおいて読みますから、(1)～(5)の部分を解答欄に書きとってください。それぞれの（　）内に入るのは1語とはかぎりません。
- 最後（3回目）に、もう1度全体をとおして読みます。
- 読み終えてから60秒、見なおす時間があります。
- 数を記入する場合は、算用数字で書いてください。
（メモは自由にとってかまいません）（配点　10）

〈CDを聞く順番〉　B-51 → B-52 → B-53 → B-54

L'hôterier	: Oh! Bonjour, madame. Vous partez ?
Madame Dupré	: Bonjour, monsieur. Vous pouvez préparer notre (1), s'il vous plaît ?
L'hôterier	: Vous partez tout de suite ?
Madame Dupré	: Oui.
L'hôterier	: Je vous la prépare (2)… Voilà, madame, deux nuits, pour deux (3), chambre et petit déjeuner, et quatre menus à 12 euros ; (4) euros, madame.
Madame Dupré	: Vous acceptez les (5) ?
L'hôterier	: Bien sûr, madame. Un instant, je vous prie… Très bien, madame.
Madame Dupré	: Au revoir, monsieur, merci.
L'hôterier	: Au revoir, messieurs-dames, bon voyage.

メモ欄

2
- フランス語の文(1)～(5)を、それぞれ3回聞いてください。
- それぞれの文に最もふさわしい絵を、下の①～⑨のなかから1つずつ選び、解答欄のその番号にマークにしてください。ただし、同じものを複数回用いることはできません。

（メモは自由にとってかまいません）（配点　10）

〈CDを聞く順番〉 B-55 → B-56

(1)

(2)

(3)

(4)

(5)

85

3

- ヴァンサン夫人とアパルトマンの管理人の会話を3回聞いてください。
- 次の(1)～(5)について、会話の内容に一致する場合は解答欄の①に、一致しない場合は②にマークしてください。
（メモは自由にとってかまいません）（配点 10）
〈CDを聞く順番〉 B-57 → B-58 → B-59 → B-60

(1) ヴァンサン家の人たちは引っ越して来たアパルトマンにすっかり慣れてしまった。
(2) ヴァンサン夫人には9歳になる娘と5歳になる息子がいる。
(3) ヴァンサン夫人は娘については友だちが多いので安心している。
(4) ヴァンサン夫人は息子に友だちができないことを心配している。
(5) 管理人の子どもたちは全員結婚している。

メモ欄

第2回 実用フランス語技能検定模擬試験（3級） 解答用紙

筆記

1

解答番号	解 答 欄	採点欄
(1)		
(2)		
(3)		
(4)		

2

解答番号	解 答 欄	採点欄
(1)		
(2)		
(3)		
(4)		
(5)		

3

解答番号	解 答 欄
(1)	① ② ③ ④ ⑤ ⑥
(2)	① ② ③ ④ ⑤ ⑥
(3)	① ② ③ ④ ⑤ ⑥
(4)	① ② ③ ④ ⑤ ⑥

4

解答番号	解 答 欄
(1)	① ② ③ ④
(2)	① ② ③ ④
(3)	① ② ③ ④
(4)	① ② ③ ④

5

解答番号	解 答 欄
(1)	① ② ③ ④
(2)	① ② ③ ④
(3)	① ② ③ ④
(4)	① ② ③ ④

6

解答番号	解 答 欄
(1)	① ② ③ ④
(2)	① ② ③ ④
(3)	① ② ③ ④
(4)	① ② ③ ④

7

解答番号	解 答 欄
(1)	① ② ③ ④ ⑤ ⑥ ⑦ ⑧
(2)	① ② ③ ④ ⑤ ⑥ ⑦ ⑧
(3)	① ② ③ ④ ⑤ ⑥ ⑦ ⑧
(4)	① ② ③ ④ ⑤ ⑥ ⑦ ⑧
(5)	① ② ③ ④ ⑤ ⑥ ⑦ ⑧
(6)	① ② ③ ④ ⑤ ⑥ ⑦ ⑧

8

解答番号	解 答 欄
(1)	① ② ③ ④ ⑤ ⑥
(2)	① ② ③ ④ ⑤ ⑥
(3)	① ② ③ ④ ⑤ ⑥
(4)	① ② ③ ④ ⑤ ⑥
(5)	① ② ③ ④ ⑤ ⑥
(6)	① ② ③ ④ ⑤ ⑥

9

解答番号	解 答 欄
(1)	① ②
(2)	① ②
(3)	① ②
(4)	① ②

聞き取り

1

解答番号	解 答 欄	採点欄
(1)		
(2)		
(3)		
(4)		
(5)		

2

解答番号	解 答 欄
(1)	① ② ③ ④ ⑤ ⑥ ⑦ ⑧ ⑨
(2)	① ② ③ ④ ⑤ ⑥ ⑦ ⑧ ⑨
(3)	① ② ③ ④ ⑤ ⑥ ⑦ ⑧ ⑨
(4)	① ② ③ ④ ⑤ ⑥ ⑦ ⑧ ⑨
(5)	① ② ③ ④ ⑤ ⑥ ⑦ ⑧ ⑨

3

解答番号	解 答 欄
(1)	① ②
(2)	① ②
(3)	① ②
(4)	① ②
(5)	① ②

会場名

氏名

会場コード

受験番号

記入およびマークについての注意事項

1. 解答には必ずHBまたはBの黒鉛筆（シャープペンシル可）を使用してください。
2. 記入は太線の枠内に、マークは○の中を正確にぬりつぶしてください（下記マーク例参照）。
3. 訂正の場合は塗りつぶさないでください。採点欄はきれいに消してください、プラスチック製消しゴムできれいに消してください。
4. 解答用紙を折り曲げたり、破ったり、汚したりしないでください。

マーク例

良い例：●
悪い例：○ ✕ ◯ ⦵ ◐

著者紹介
富田　正二（とみた　しょうじ）
1951年熊本生まれ。1979年，中央大学大学院文学研究科仏文学専攻博士課程単位取得退学。
現在，中央大学，千葉商科大学，獨協大学ほか講師。
「イメージの心理学」（共訳，勁草書房），「アルチュール・ランボー伝」（共訳，水声社）など。

＜最新版＞完全予想　仏検3級

— 聞き取り問題編 —

（CD 2枚付）

2012.5.1　初版発行　2021.7.1　4刷発行

著　者　　富　田　正　二
発　行　者　　井　田　洋　二

発　行　所　　株式会社　駿河台出版社

〒101-0062 東京都千代田区神田駿河台3の7
電話03(3291)1676　FAX03(3291)1675
振替00190-3-56669

本文写植版下製版・フォレスト　印刷・三友印刷

ISBN978-4-411-00523-6 C1085

http://www.e-surugadai.com

参 考 書

価格は税抜き

新・リュミエール —フランス文法参考書— (MP3 CD-ROM付) 森本英夫／三野博司	2100円
ケータイ〈万能〉フランス語文法 久松健一	1600円
ケータイ〈万能〉フランス語文法実践講義ノート 久松健一	2500円
最強の使える動詞59 (CD付) 藤田裕二／小林拓也	1900円
はじめての超カンタンフランス語 (MP3 CD-ROM付) 塚越敦子	1500円
はじめての超カンタンおしゃべりフランス語 (MP3 CD-ROM付) 塚越敦子	1500円
聞けちゃう, 書けちゃう, フランス語ドリル (MP3 CD-ROM付) 富田正二／S. ジュンタ／M. サガズ	2300円
ネイティブが教えるカタコトから一歩進んだフランス語 —旅行会話編— (MP3 CD-ROM付)	2200円
即効！フランス語作文 足立和彦／岩村和泉／林千広／深川聡子／クリス・ベルアド	2000円
フランス語でEメール (CD-ROM付) 明石伸子／クララ・クベタ	2300円
教えて仏検先生 (CD付) 久松健一 監修 5級 1800円・4級 1900円・3級	2000円
《暗記本位》フランス語動詞活用表 —仏検対応5・4・3級— (CD付) 久松健一	1200円
仏検2級準拠[頻度順]フランス語単語集 川口裕司／古賀健太郎／菊池美里	1500円
仏検3級準拠[頻度順]フランス語単語集 川口裕司／松澤水戸／菊池美里	1400円
フランス語単語の力を本当につけられるのはコレだ！ —基礎養成編・応用編— 早川／小幡谷／久松	各1900円
〈データ本位〉でる順 仏検単語集 —5級～2級準備レベル— 久松健一	1500円
〈仏検2級対応〉でる順 仏検単語集 (CD付) 久松健一／パスカル・マンジュマタン	1900円
〈仏検2級・3級対応〉フランス語重要表現・熟語集 久松健一	1800円
英語がわかればフランス語はできる (CD付) 久松健一	2000円
英語・フランス語どちらも話せる！[基礎エクササイズ編・増強エクササイズ編] (MP3 CD-ROM付) 久松健一	各1600円
[新版]フランス語 拡聴力 (音声無料ダウンロード) 久松健一	1200円
徹底攻略 仏検準2級 (MP3付) 塚越敦子／太原孝英／大場静枝／佐藤淳一／余語毅憲	2300円
完全予想 仏検2級 富田正二 筆記問題編 2600円・聞きとり問題編 (MP3 CD-ROM付)	2000円
完全予想 仏検準2級 富田正二 筆記問題編 2500円・聞きとり問題編 (MP3 CD-ROM付)	2000円
完全予想 仏検3級 富田正二 筆記問題編 2200円・聞き取り問題編 (CD付)	2000円
完全予想 仏検4級 (CD付) 富田正二	2600円
完全予想 仏検5級 (MP3 CD-ROM付) 富田正二	2500円
フランス語のシッフル(数字)なんてこわくない！ (CD付) ファビエンヌ・ギユマン	2000円
フランス語動詞宝典 久松健一 308 —初・中級編— 2600円・466 —中・上級編—	2800円
英仏比較で覚えやすいフランス語前置詞マスターガイド&ドリル 森田秀二	1800円
《日本語訳付》アンフォ フランス語でニュースを読む (CD付) 井上／ギユマン／ルーセル／平松	2100円